STREET ATLAS
Ceredigion
South Gwynedd

ATLAS STRYDOEDD
Sir Ceredigion a De Gwynedd

First published in 2005 by

Philip's, a division of
Octopus Publishing Group Ltd
2-4 Heron Quays, London E14 4JP

First edition 2005
First impression 2005

ISBN-10   0-540-08724-6 (spiral)
ISBN-13   978-0-540-08724-2 (spiral)

© Philip's 2005

Ordnance Survey®

This product includes mapping data licensed from Ordnance Survey® with the permission of the Controller of Her Majesty's Stationery Office. © Crown copyright 2005. All rights reserved. Licence number 100011710.

Contents

Digital Data

The exceptionally high-quality mapping found in this atlas is available as digital data in TIFF format, which is easily convertible to other bitmapped (raster) image formats.

The index is also available in digital form as a standard database table. It contains all the details found in the printed index together with the National Grid reference for the map square in which each entry is named.

For further information and to discuss your requirements, please contact Philip's on 020 7644 6932 or james.mann@philips-maps.co.uk

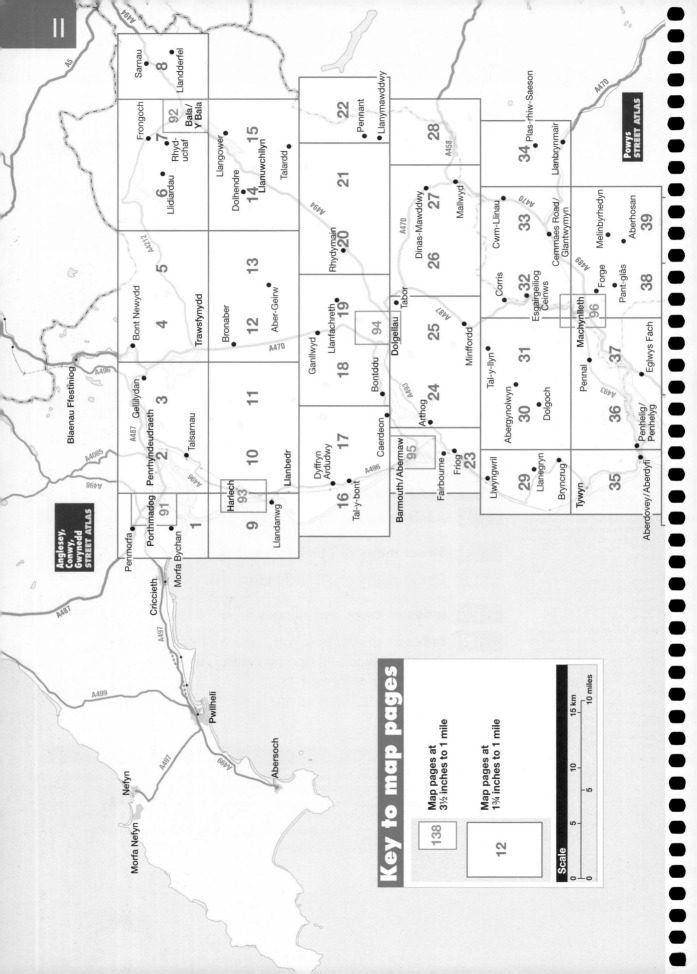

Anglesey, Conwy, Gwynedd STREET ATLAS

Powys STREET ATLAS

A5
A494
A470
A458

Sarnau
Llandderfel **8**
Frongoch
Bala/ Y Bala **92**
Rhyd-uchaf **7**
Llidiardau **6**
Llangower
Dolhendre
Llanuwchllyn **14**
Llanuchllyn **15**
Talardd
Pennant **22**
Llanymawddwy
Plas-rhiw-Saeson
Llanbrynmair **34**

A4212
A494
A470
A458

Bont Newydd
4 **5**
Trawsfynydd
Bronaber
Aber-Geirw **13**
12
Rhydymain **20**
21
Dinas-Mawddwy **27**
Mallwyd
Cemmaes Road/ Glantwymyn
Melinbyrhedyn
Aberhosan **39**
Cwm-Llinau **33**
A489
A470

Blaenau Ffestiniog
A496
Gellilydan
Penrhyndeudraeth **2** **3**
Talsarnau
Ganllwyd
Llanfachreth **18** **19**
Dolgellau **94**
Tabor
Minffordd **25**
Corris **32**
Esgairgeiliog Ceinws
Forge
Pant-glâs **38**
Machynlleth **96**

A496
A4085
A487
A496
A4098

Penmorfa
Porthmadog **91**
Morfa Bychan
Harlech **93**
Llanbedr
10 **11**
Dyffryn Ardudwy **16** **17**
Caerdeon
Barmouth/Abermaw **95**
Arthog **24**
Fairbourne
Friog **23**
Tal-y-llyn
Abergynolwyn **30** **31**
Dolgoch
Pennal
Penhelig/ Penhelyg **36** **37**
Eglwys Fach

A487
Criccieth
A497
Pwllheli
A499
A497
A499

Nefyn
Morfa Nefyn
Abersoch

Penrhyndeudraeth
Talsarnau
Llandanwg **9**
Tal-y-bont
Llwyngwril **29**
Llanegryn
Bryncrug
Tywyn **35**
Aberdovey/Aberdyfi

A499
A496
A493

Key to map pages

Map pages at 3½ inches to 1 mile

138

Map pages at 1¾ inches to 1 mile

12

Scale

| 0 | 5 | 10 | 15 km |
| 0 | 5 | 10 miles |

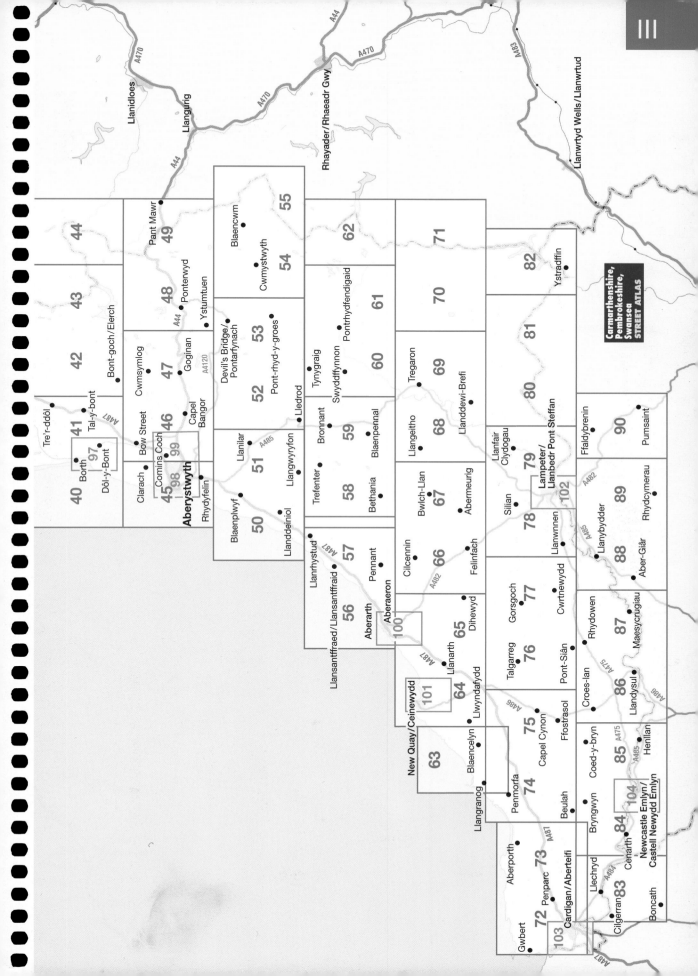

Llanidloes

Llangurig

Rhayader/Rhaeadr Gwy

Llanwrtyd Wells/Llanwrtud

Carmarthenshire, Pembrokeshire, Swansea STREET ATLAS

44

Pant Mawr **49**

55 Blaencwm

62

71

82 Ystradffin

43 Ponterwyd **48**

Bont-goch/Elerch

Ystumtuen

Cwmsymlog **54** Cwmystwyth

Goginan

42 **47** Capel Bangor

Devil's Bridge/ Pontarfynach **53**

Swyddffynnon Pontrhydfendigaid **61**

70

81

Tre'r-ddôl

Tal-y-bont **41** **97** Borth Dôl-y-Bont

Bow Street

Cwmsymlog

Comins Coch **46** **99**

Capel Bangor

52 Pont-rhyd-y-groes

Lledrod

Tynygraig

60

Tregaron

69 Llanddewi-Brefi

80

Lampeter/ Llanbedr Pont Steffan

Ffaldybrenin

90 Pumsaint

Clarach **45** **98**

Aberystwyth

Rhydyfelin

Llanilar **51**

Llangwyryfon

Bronnant **59**

Blaenpennal

Llangeitho **68**

Llanfair Clydogau **79**

Llanwnnen **78**

89 Rhydcymerau

40

Blaenplwyf **50**

Trefenter **58** Bethania

Bwlch-Llan **67** Abermeurig

Sillan

102

Llanybydder

88 Aber-Giâr

Llanddeiniol

Llanrhystud **57** Pennant

Cilcennin **66** Felinfach

77 Cwrtnewydd

Rhydowen **87** Maesycrugiau

Llansantffraed/Llansantffraid **56** Aberarth Aberaeron

100

Dihewyd **65**

Gorsgoch **77**

86 Llandysul

Llanarth **64**

Talgarreg **76** Pont-Siân

Croes-lan

101

Llwyndafydd

Capel Cynon **75**

Ffostrasol

Coed-y-bryn **85** Henllan

New Quay/Ceinewydd **63** Blaencelyn

Penmorfa

74 Beulah Bryngwyn **84** Newcastle Emlyn/ Castell Newydd Emlyn

104

Llangranog

Aberporth

Penparc **73**

Cardigan/Aberteifi

Cenarth

Llechryd

83 Cilgerran Boncath

72 Gwbert

103

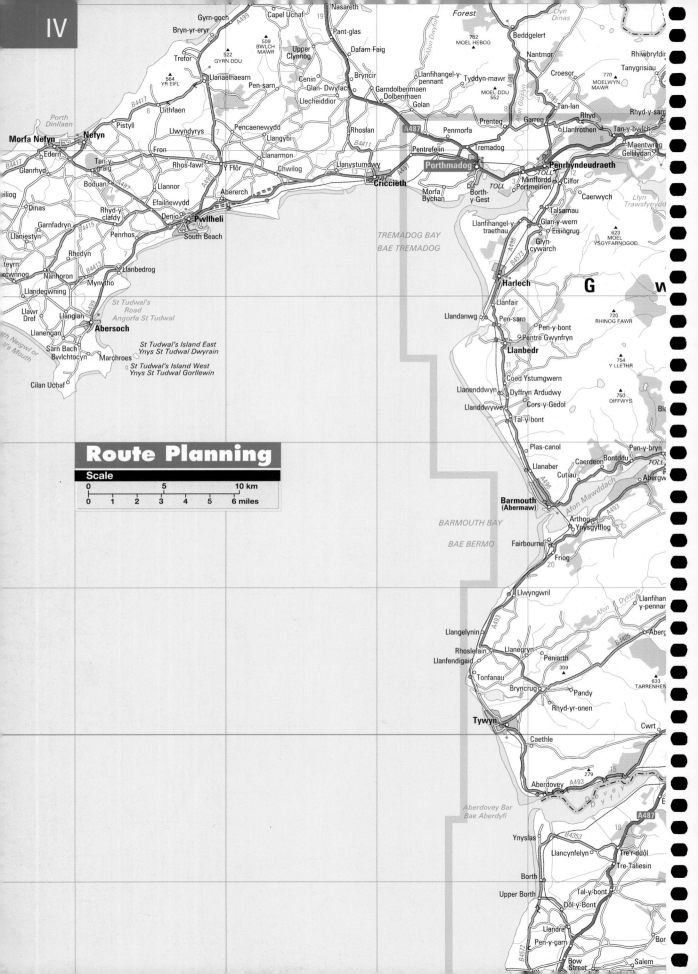

Route Planning

Scale

0			5			10 km
0	1	2	3	4	5	6 miles

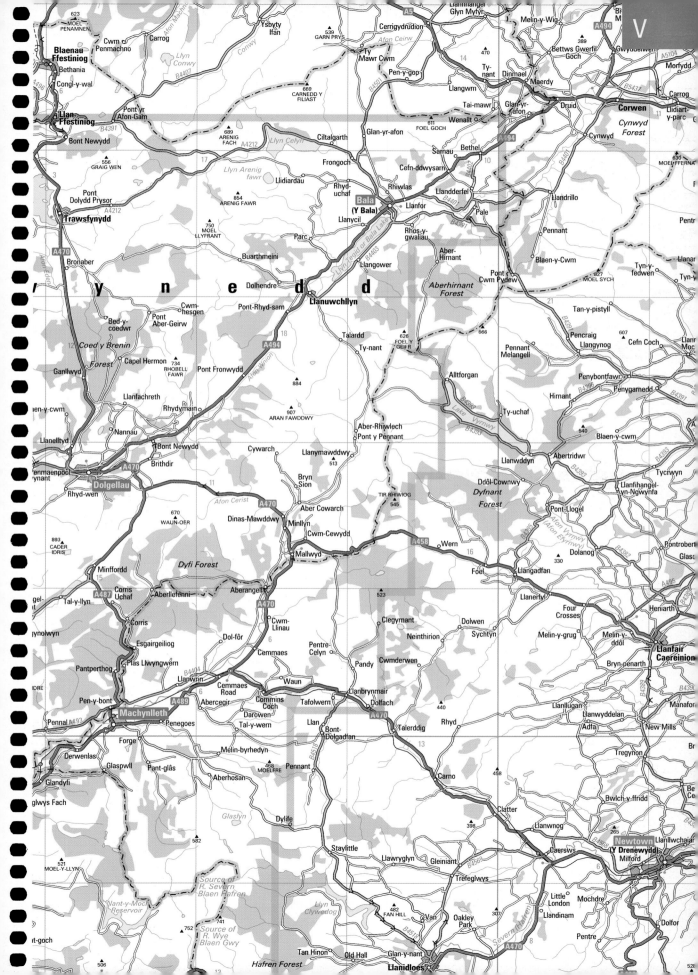

Scale

0   5   10 km

0   1   2   3   4   5   6 miles

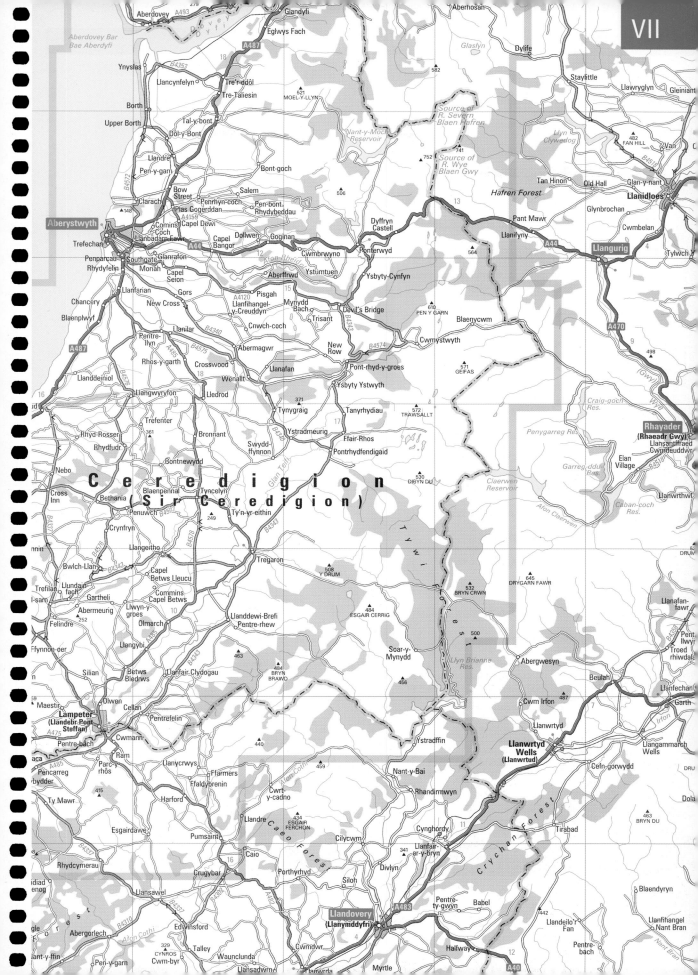

Symbol	Ystyr
	Traffordd gyda rhif y gyffordd
	Prif dramwyfeydd – ffordd ddeuol/un lôn
	Ffordd A – ffordd ddeuol/un lôn
	Ffordd B – ffordd ddeuol/un lôn
	Ffyrdd bychan – ffordd ddeuol/un lôn
	Ffyrdd bychan eraill – ffordd ddeuol/un lôn
	Ffordd yn cael ei hadeiladu
	Twnnel, ffordd dan orchudd
	Trac gwledig, ffordd breifat, neu ffordd mewn ardal ddinesig
	Llidiart neu rhwystr i draffig (gall fod cyfyngiadau ddim yn ddilys ar gyfer bob amser neu i bob drafnidiaeth)
	Llwybr, llwybr march, cilffordd yn agored i bob trafnidiaeth, ffordd a ddefnyddir yn lwybr cyhoeddus
	Mân cerddwyr
DY7	**Ffiniau codau-post**
	Ffiniau Sir ac awdurdod unedol
	Rheilffordd, twnnel, rheilffordd yn cael ei hadeiladu
	Tramffordd, tramffordd yn cael ei hadeiladu
	Rheilffordd ar raddfa fychan
Walsall	**Gorsaf rheilffordd**
	Gorsaf rheilffordd breifat
South Shields	**Gorsaf metro**
	Atalfa tram, atalfa tram yn cael ei hadeiladu
	Gorsaf fysiau

Symbol	Ystyr
	Gorsaf ambiwlans
	Gorsaf gwylwyr y glannau
	Gorsaf Dân
	Swyddfa'r heddlu
	Mynedfa damwain ac argyfwng i'r ysbyty
H	**Ysbyty**
	Lle o addoliad
i	**Canolfan gwybodaeth** (a'r agor drwy'r flwyddyn)
	Canolfan siopa
P P&R	**Parcio, Parcio a chludo**
PO	**Swyddfa'r post**
	Safle gwersylla
	Safle carafan
	Cwrs golff
	Safle picnic
Prim Sch	**Adeiladau pwysig, ysgolion, colegau, prifysgolion ac ysbytai**
	Ardal adeiledig
	Coed
River Ouse	**Dŵr llanw, Enw dŵr**
	Dim dŵr llanw – llyn, afon, camlas neu nant
	Loc, cored, twnnel
Church	**Hynafiaeth anrhufeinig**
ROMAN FORT	**Hynafiaeth rhufeinig**
94 / 164	**Arwyddion dalennau cyfagos a bandiau gorymylon** Y mae lliw y saeth â'r band yn dynodi gradd y ddalen gyfagos â'r ddalen gorymyl (gwelwch y graddau islaw)

■ Y mae'r rhifau bach o gwmpas ochrau'r mapiau yn dynodi llinelli grid cenedlaethol 1 cilomedr
■ Mae'r ffin llwyd tywyll ar ochr fewn rhai tudalennau yn dynodi nad yw'r mapio yn canlyn ymlaen i'r tudalen gyffiniol

Acad	**Academi**	Inst	**Institiwt**	PH	**Tŷ tafarn**
Allot Gdns	**Gerddi ar osod**	Ct	**Llys cyfraith**	Recn Gd	**Maes chwaraeon**
Cemy	**Mynwent**	L Ctr	**Canolfan hamdden**	Resr	**Cronfa ddŵr**
C Ctr	**Canolfan ddinesig**	LC	**Croesfan wastad**	Ret Pk	**Parc adwerthu**
CH	**Tŷ Clwb**	Liby	**Llyfrgell**	Sch	**Ysgol**
Coll	**Coleg**	Mkt	**Marchnad**	Sh Ctr	**Canolfan Siopa**
Crem	**Amlosgfa**	Meml	**Coffa**	TH	**Neuadd y dref**
Ent	**Menter**	Mon	**Cofgolofn**	Trad Est	**Ystad Fasnachol**
Ex H	**Neuadd Arddangos**	Mus	**Amgueddfa**	Univ	**Prifysgol**
Ind Est	**Ystad ddiwydiannol**	Obsy	**Arsyllfa**	W Twr	**Tŵrdŵr**
IRB Sta	**Gorsaf bad achub y glannau**	Pal	**Palas brenhinol**	Wks	**Gwaith**
				YH	**Hostel ieuenctid**

Gradd y mapiau ar y dalennau gyda rhifau glas yw
5.52 cm i 1 km • 3½ modfedd i 1 filltir • 1: 18103

0	¼	½	¾	1 milltir
0 250m 500m 750m 1 km				

Gradd y mapiau ar y dalennau gyda rhifau gwyrdd yw
2.76 cm i 1 km • 1¾ modfedd i 1 filltir • 1: 36206

0	¼	½	¾	1 milltir
0 250m 500m 750m 1 km				

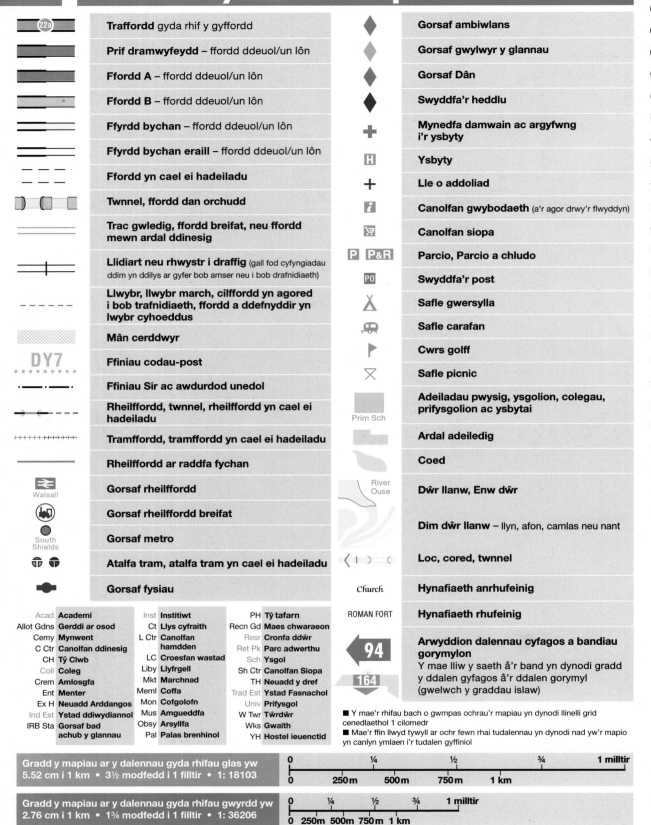

Symbol	Description
(22a)	**Motorway** with junction number
	Primary route – dual/single carriageway
	A road – dual/single carriageway
	B road – dual/single carriageway
	Minor road – dual/single carriageway
	Other minor road – dual/single carriageway
	Road under construction
	Tunnel, covered road
	Rural track, private road or narrow road in urban area
	Gate or obstruction to traffic (restrictions may not apply at all times or to all vehicles)
	Path, bridleway, byway open to all traffic, road used as a public path
	Pedestrianised area
DY7	**Postcode boundaries**
	County and unitary authority boundaries
	Railway, tunnel, railway under construction
	Tramway, tramway under construction
	Miniature railway
Walsall	**Railway station**
	Private railway station
South Shields	**Metro station**
	Tram stop, tram stop under construction
	Bus, coach station

Symbol	Description
◆	**Ambulance station**
◆	**Coastguard station**
◆	**Fire station**
◆	**Police station**
✚	**Accident and Emergency entrance to hospital**
H	**Hospital**
+	**Place of worship**
i	**Information Centre** (open all year)
🛒	**Shopping Centre**
P P&R	**Parking, Park and Ride**
PO	**Post Office**
⋀	**Camping site**
🚐	**Caravan site**
▶	**Golf course**
⤬	**Picnic site**
Prim Sch	**Important buildings, schools, colleges, universities and hospitals**
	Built up area
	Woods
River Ouse	**Tidal water, water name**
	Non-tidal water – lake, river, canal or stream
⟨	▷ ⊏ ⊐ ⊏	**Lock, weir, tunnel**
Church	**Non-Roman antiquity**
ROMAN FORT	**Roman antiquity**
◀94 164	**Adjoining page indicators and overlap bands** The colour of the arrow and the band indicates the scale of the adjoining or overlapping page (see scales below)

■ The small numbers around the edges of the maps identify the 1 kilometre National Grid lines

■ The dark grey border on the inside edge of some pages indicates that the mapping does not continue onto the adjacent page

Acad	**Academy**	Inst	**Institute**	Recn Gd	**Recreation Ground**
Allot Gdns	**Allotments**	Ct	**Law Court**		
Cemy	**Cemetery**	L Ctr	**Leisure Centre**	Resr	**Reservoir**
C Ctr	**Civic Centre**	LC	**Level Crossing**	Ret Pk	**Retail Park**
CH	**Club House**	Liby	**Library**	Sch	**School**
Coll	**College**	Mkt	**Market**	Sh Ctr	**Shopping Centre**
Crem	**Crematorium**	Meml	**Memorial**	TH	**Town Hall/House**
Ent	**Enterprise**	Mon	**Monument**	Trad Est	**Trading Estate**
Ex H	**Exhibition Hall**	Mus	**Museum**	Univ	**University**
Ind Est	**Industrial Estate**	Obsy	**Observatory**	W Twr	**Water Tower**
IRB Sta	**Inshore Rescue Boat Station**	Pal	**Royal Palace**	Wks	**Works**
	Boat Station	PH	**Public House**	YH	**Youth Hostel**

The scale of the maps on the pages numbered in blue is 5.52 cm to 1 km • 3½ inches to 1 mile • 1: 18103

```
0        ¼        ½        ¾        1 mile
0   250m   500m   750m   1 kilometre
```

The scale of the maps on pages numbered in green is 2.76 cm to 1 km • 1¾ inches to 1 mile • 1: 36206

```
0    ¼    ½    ¾    1 mile
0  250m 500m 750m 1kilometre
```

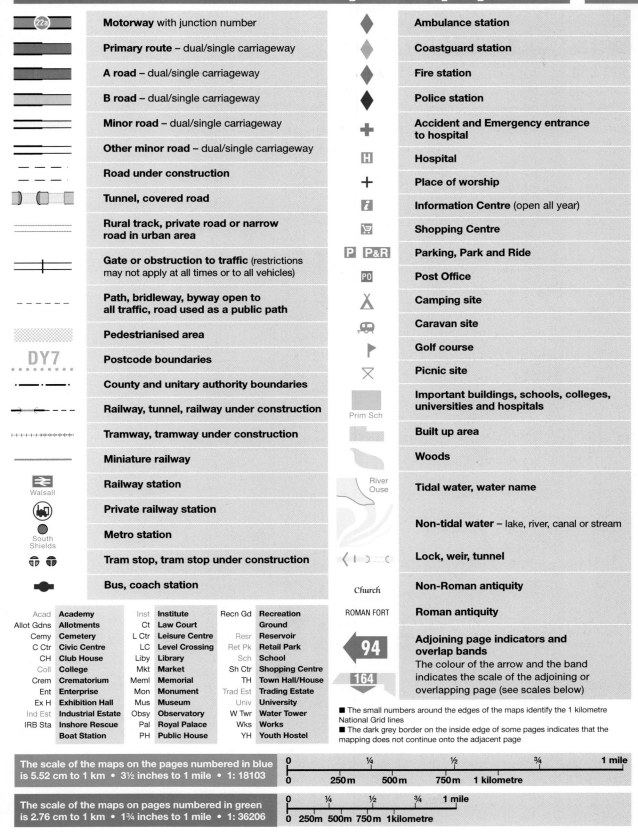

Administrative and Postcode boundaries

County and unitary authority boundaries

Postcode boundaries

Area covered by this atlas

Conwy

Pentrefelin
LL49
LL48
Bont Newydd
Sarnau
LL52
Porthmadog
Penrhyndeudraeth
Llidiardau
Bala/
Y Bala
LL47
LL41
Llanderfel
LL23
Talsarnau
Trawsfynydd
Llangower
Harlech
LL46
Bronaber
Llanuwchllyn
Aber-Geirw
Talardd
LL45
LL44
Gwynedd
SY10
Llanbedr
LL43
Llanfachreth
Dyffryn Ardudwy
Bontddu
LL40
Llanymawddwy
Tal-y-bont
LL42
Caerdeon
Dolgellau
SY21
Barmouth/Abermaw
LL39
Fairbourne
LL38
Mallwyd
SY20
Llwyngwril
Tal-y-llyn
Corris
LL37
Abergynolwyn
Cemmaes Road/
Glantwymyn
SY21
Bryncrug
LL36
Llanbrynmair
Tywyn
Machynlleth

SH
SN

LL35
Aberhosan
Aberdovey/Aberdyfi
Tre'r-ddôl
Borth
SY24
Powys
Tal-y-bont
SY18
Aberystwyth
Capel
Bangor
Ponterwyd
Pant Mawr
SY23
Devil's Bridge/
Pontarfynach
Pont-rhyd-y-groes
Cwmystwyth
Llanrhystud
Lledrod
Ceredigion
(Sir Ceredigion)
Pontrhydfendigaid
Llansantffraed/Llansantffraid
Aberarth
Pennant
SY25
Aberaeron
Cilcennin
Llangeitho
LD6
New Quay/Ceinewydd
SA46
Tregaron
Llanarth
SA45
Felinfach
Llanddewi-Brefi
SA47
Llangranog
Aberporth
Talgarreg
SA48
Llanfair
Clydogau
Gwbert
SA43
SA44
Cwrtnewydd
Lampeter/
Llanbedr Pont Steffan
LD5
Beulah
SA40
Ystradffin
Cardigan/Aberteifi
SA38
Rhydowen
Ffaldybrenin
Cilgerran
Llandysul
Llanybydder
SA20
Pumsaint
SA37
Maesycrugiau
Boncath
Newcastle Emlyn/
Castell Newydd Emlyn
SA39
Rhydcymerau

Pembrokeshire
(Sir Benfro)

Carmarthenshire
(Sir Gaerfyrddin)

Scale
0   10   20   30 km
0   10   20miles

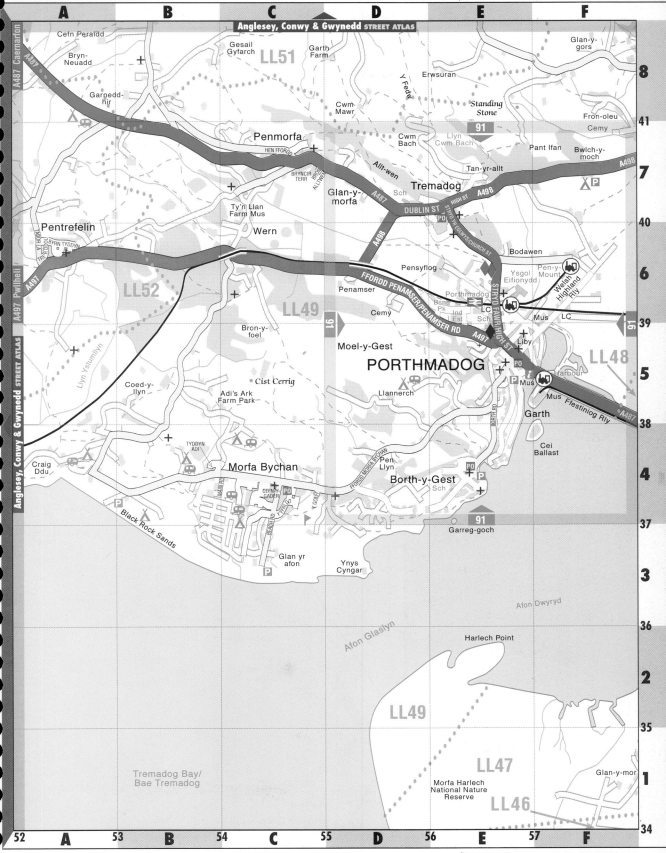

Scale: 1¾ inches to 1 mile

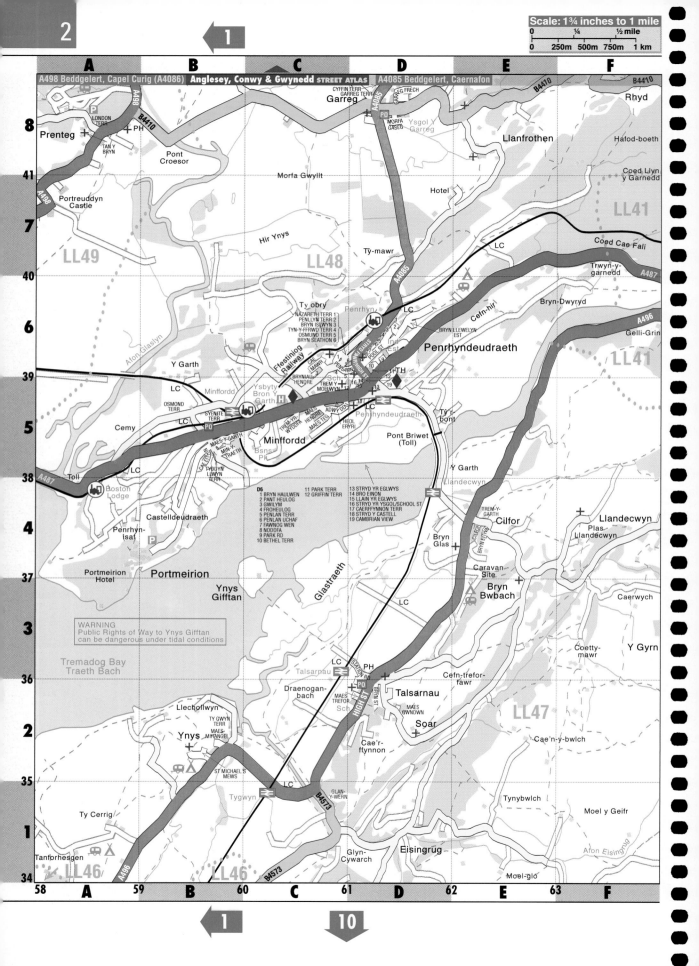

A498 Beddgelert, Capel Curig (A4086) **Anglesey, Conwy & Gwynedd** STREET ATLAS A4085 Beddgelert, Caernafon

A   B   C   D   E   F

Rhyd
B4410
Garreg
CYFFIN TERR
GARREG TERR
GARREG FRECH
Llanfrothen
Hafod-boeth
Ysgol Y Garreg
MORFA GASEG
Coed Llyn y Garnedd
Prenteg
LONDON TERR
TAN Y BRYN
PH
Pont Croesor
Morfa Gwyllt
Hotel
LL41
Portreuddyn Castle
Hir Ynys
Tý-mawr
LC
Coed Cae Fali
LL49
LL48
Trwyn-y-garnedd
A487
Tý obry
Penrhyn
LC
Cefn-hir
Bryn-Dwyryd
A496
NAZARETH TERR 1
PENLLYN TERR 2
BRYN ISLWYN 3
TYN-Y-FFRWD TERR 4
OSMUND TERR 5
BRYN SEATHON 6
Gelli-Grin
BRYN LLEWELYN EST
Penrhyndeudraeth
LL41
Y Garth
Ffestiniog Railway
Minffordd
LC
BRYNIAU HENDRE
TREM Y MOELWYN
Sch
TH
OSMOND TERR
Ysbyty Bron Y Garth
H
SYENITE TERR
PO
ADWY DDU
HEOL ERYRI
Tý'r-bont
Cemy
LC
TREM-Y-WYDDFA
MAES HENDRE
MAES TEG
Penrhyndeudraeth
LC
Minffordd
MAES-Y-GARTH
MIN-Y-TRAETH
Bsns Pk
Pont Briwet (Toll)
Y Garth
Toll
LC
PYDDYN LLWYN TERR
Llandecwyn
D6
1 BRYN HAULWEN
2 PANT HEULOG
3 GWILYM
4 FROHEULOG
5 PENLAN TERR
6 PENLAN UCHAF
7 FAWNOG WEN
8 NODDFA
9 PARK RD
10 BETHEL TERR
11 PARK TERR
12 GRIFFIN TERR
13 STRYD YR EGLWYS
14 BRO EINON
15 LLAIN YR EGLWYS
16 STRYD YR YSGOL/SCHOOL ST
17 CAERFFYNNON TERR
18 STRYD Y CASTELL
19 CAMBRIAN VIEW
TREM-Y-GARTH
Boston Lodge
Castelldeudraeth
Cilfor
Llandecwyn
Penrhyn-isaf
P
Bryn Glas
Plas Llandecwyn
BRYN EITHIN
CILFOR
Caravan Site
Portmeirion Hotel
Portmeirion
Ynys Gifftan
Glastraeth
LC
Bryn Bwbach
Caerwych
WARNING
Public Rights of Way to Ynys Gifftan can be dangerous under tidal conditions
Cefn-trefor-fawr
Coetty-mawr
Y Gyrn
Tremadog Bay
Traeth Bach
LC
Talsarnau
PH
STATION RD
Draenogan-bach
MAES TREFOR
Sch
HIGH ST
BRYN ST
PO
Talsarnau
MAES BWNDWN
LL47
Llechollwyn
TY GWYN TERR
MAES MIHANGEL
Ynys
Soar
ST MICHAEL'S MEWS
Cae'r-ffynnon
Cae'n-y-bwlch
Tygwyn
B4573
GLAN-Y-WERN
Tynybwlch
Moel y Geifr
Ty Cerrig
Tanforhesgen
LL46
A496
LL46
B4573
Glyn-Cywarch
Eisingrug
Afon Eising
Moel-glo

58   A   59   B   60   C   61   D   62   E   63   F

1
1
10

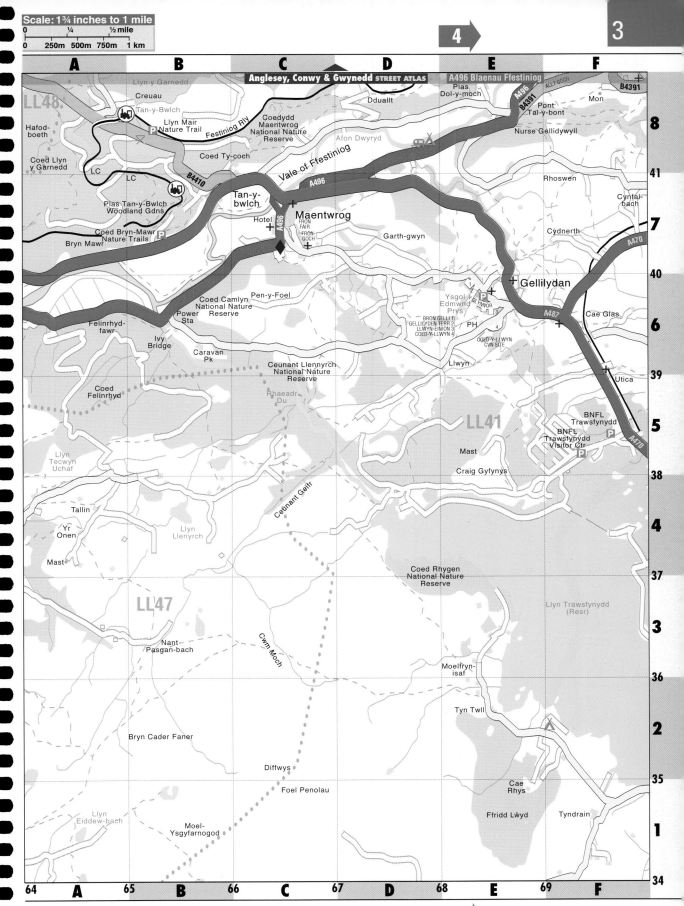

Anglesey, Conwy & Gwynedd STREET ATLAS

A496 Blaenau Ffestiniog

LL48

Creuau

Tan-y-Bwlch

Llyn Mair Nature Trail

Llyn y Garnedd

Dduallt

Plas Dol-y-moch

Mon

B4391

Pont Tal-y-bont

Festiniog Rly

Coedydd Maentwrog National Nature Reserve

Afon Dwyryd

Nurse Gellidywyll

8

Hafod-boeth

Coed Llyn y Garnedd

Coed Ty-coch

Rhoswen

41

LC

LC

B4410

Vale of Ffestiniog

A496

Cyntal-bach

Tan-y-bwlch

Maentwrog

Cydnerth

7

Plas Tan-y-Bwlch Woodland Gdns

Hotel

FRON FAIR
FRON GOCH

Garth-gwyn

A470

Coed Bryn-Mawr Nature Trails

Bryn Mawr

P

Gellilydan

40

Pen-y-Foel

Ysgol Edmwnd Prys

6

Felinrhyd-fawr

Coed Camlyn National Nature Reserve

Power Sta

BRON GELLI 1
GELLILYDEN TERR 2
LLWYN-EINION 3
COED-Y-LLWYN 4

PH

Cae Glas

Ivy Bridge

Caravan Pk

Ceunant Llennyrch National Nature Reserve

COED-Y-LLWYN CVN SITE

Llwyn

Utica

39

Coed Felinrhyd

Rhaeadr Du

LL41

BNFL Trawsfynydd

5

Llyn Tecwyn Uchaf

BNFL Trawsfynydd Visitor Ctr

P

A470

Mast

Craig Gyfynys

P

38

Tallin

Yr Onen

Cefnant Gelfr

4

Mast

Llyn Llenyrch

Coed Rhygen National Nature Reserve

37

LL47

Llyn Trawsfynydd (Resr)

3

Nant Pasgan-bach

Cwm Moch

Moelfryn-isaf

36

Bryn Cader Faner

Tyn Twll

2

Diffwys

Foel Penolau

Cae Rhys

35

Llyn Eiddew-bach

Moel-Ysgyfarnogod

Ffridd Lwyd

Tyndrain

1

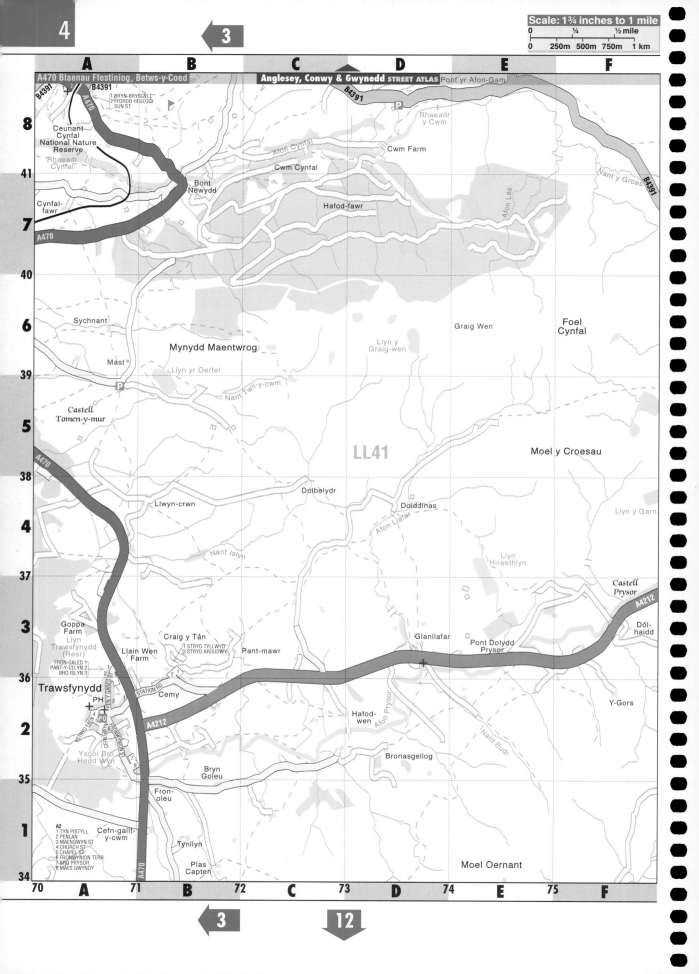

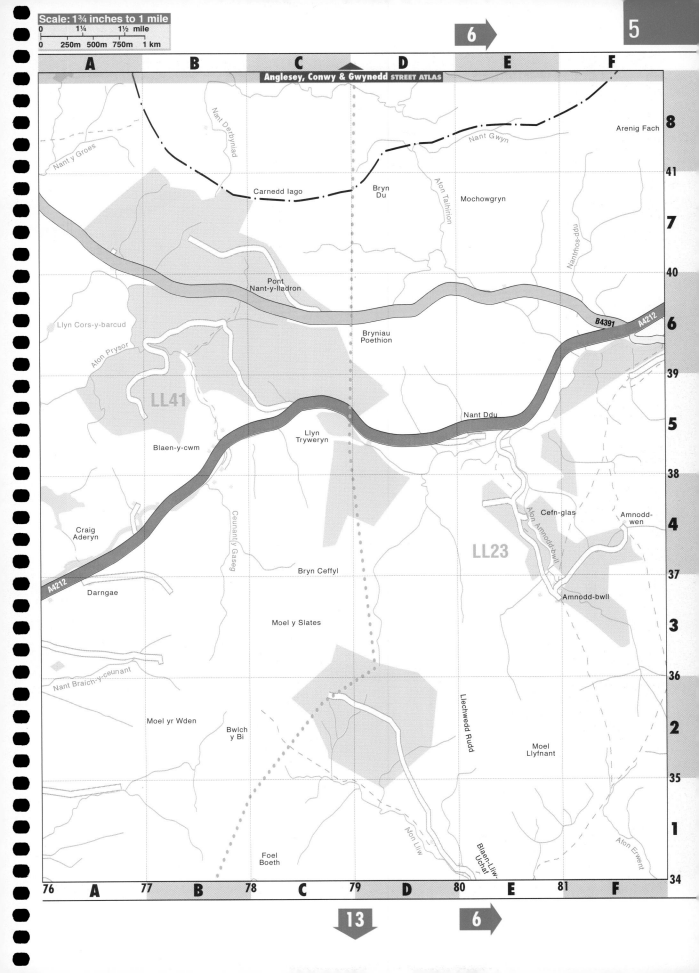

A   B   C   D   E   F

Nant Derbyniad

Arenig Fach

Nant y Groes

Carnedd Iago

Bryn
Du

Nant Gwyn

Mochowgryn

Afon Talhirion

Nanthos-ddu

41

8

7

Pont
Nant-y-lladron

Bryniau
Poethion

B4391

A4212

40

6

Llyn Cors-y-barcud

Afon Prysor

LL41

Blaen-y-cwm

Llyn
Tryweryn

Nant Ddu

39

5

Craig
Aderyn

Ceunant y Gaseg

Bryn Ceffyl

LL23

Cefn-glas

Afon Amnodd-bwll

Amnodd-
wen

38

4

A4212

Darngae

Moel y Slates

Amnodd-bwll

37

3

Nant Braich-y-ceunant

Moel yr Wden

Bwlch
y Bi

Llechwedd Rudd

Moel
Llyfnant

36

2

Afon Llw

Moel
Llyfnant

Afon Erwent

35

1

Foel
Boeth

Blaen-Lliw-
Uchaf

76   A   77   B   78   C   79   D   80   E   81   F   34

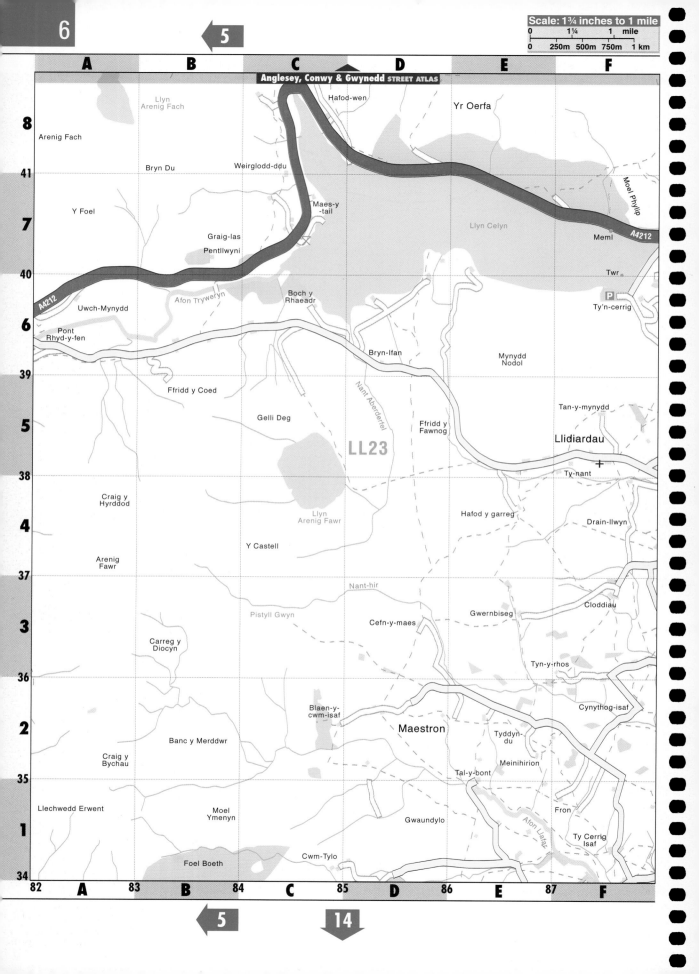

Anglesey, Conwy & Gwynedd STREET ATLAS

A B C D E F

Llyn Arenig Fach

Hafod-wen

Yr Oerfa

8

Arenig Fach

41

Bryn Du

Weirglodd-ddu

Moel Phylip

7

Y Foel

Maes-y-tail

Llyn Celyn

Meml

A4212

Graig-las

Pentllwyni

Twr

40

A4212

Uwch-Mynydd

Afon Tryweryn

Boch y Rhaeadr

Ty'n-cerrig

6

Pont Rhyd-y-fen

Bryn-Ifan

Mynydd Nodol

39

Ffridd y Coed

Tan-y-mynydd

5

Gelli Deg

Nant Aberderfel

Ffridd y Fawnog

Llidiardau

38

LL23

Ty-nant

Craig y Hyrddod

Hafod y garreg

Drain-llwyn

4

Llyn Arenig Fawr

Arenig Fawr

Y Castell

37

Nant-hir

Gwernbiseg

Cloddiau

3

Pistyll Gwyn

Cefn-y-maes

Carreg y Diocyn

Tyn-y-rhos

36

Cynythog-isaf

2

Blaen-y-cwm-isaf

Maestron

Tyddyn-du

Banc y Merddwr

Meinihirion

Craig y Bychau

Tal-y-bont

Fron

35

Llechwedd Erwent

Afon Llafar

Moel Ymenyn

Gwaundylo

Ty Cerrig Isaf

1

Cwm-Tylo

Foel Boeth

34

82 A 83 B 84 C 85 D 86 E 87 F

Scale: 1¾ inches to 1 mile

0   ¼   ½ mile
0   250m 500m 750m 1 km

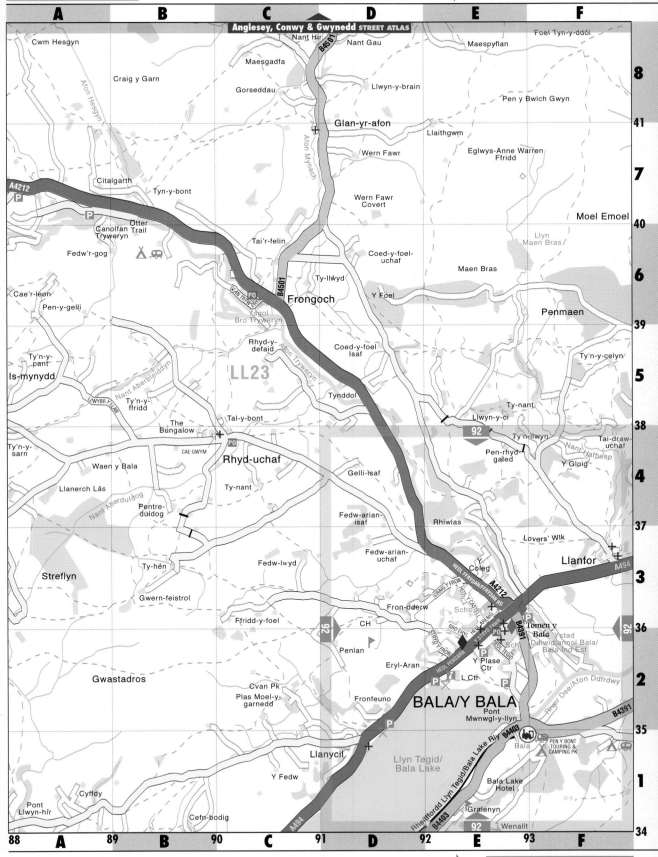

Anglesey, Conwy & Gwynedd STREET ATLAS

Cwm Hesgyn
Craig y Garn
Citalgarth
Tyn-y-bont
Otter Trail
Canolfan Tryweryn
Fedw'r-gog
Cae'r-leon
Pen-y-gelli
Ty'n-y-pant
Is-mynydd
Ty'n-y-ffridd
The Bungalow
Waen y Bala
Llanerch Lâs
Pentre-duldog
Ty-hên
Streflyn
Gwern-feistrol
Ffridd-y-foel
Gwastadros
Cvan Pk
Plas Moel-y-garnedd
Fronfeuno
Llanycil
Y Fedw
Pont Llwyn-hîr
Cyffdy
Cefn-bodig

Nant Hir
Maesgadfa
Gorseddau
Glan-yr-afon
Wern Fawr
Wern Fawr Covert
Tai'r-felin
Frongoch
Ysgol Bro Tryweryn
Rhyd-y-defaid
Ty-llwyd
LL23
Rhyd-uchaf
CAE GWYM
Ty-nant
Gelli-isaf
Fedw-arian-isaf
Fedw-arian-uchaf
Fedw-lwyd
Penlan
CH
Fron-dderw
Bro Eryl
Eryl-Aran

Nant Gau
Llwyn-y-brain
Llaithgwm
Eglwys-Anne Warren Ffridd
Coed-y-foel-uchaf
Y Foel
Coed-y-foel Isaf
Tynddol
Ty-nant
Llwyn-y-ci
Pen-rhyd-galed
Rhiwlas
Coleg
Rhiwlas
Sch

Maespyllan
Foel Tyn-y-ddôl
Pen y Bwlch Gwyn
Moel Emoel
Llyn Maen Bras
Maen Bras
Penmaen
Ty'n-y-celyn
Ty-nant
Ty'n-llwyn
Tai-draw-uchaf
Nant Hafnesp
Y Gloig
Lovers' Wlk
Llanfor
A494

BALA/Y BALA
Pont Mwnwgl-y-llyn
Y Plase Ctr
L Ctr
Tomen y Bala
Ystad Ddiwidianol Bala/Bala Ind Est
Bala
PEN Y BONT TOURING & CAMPING PK
Rhwng Dee/Afon Ddfrdwy
Llyn Tegid/Bala Lake
Bala Lake Hotel
Gralenyn
Wenallt

8
41
7
40
6
39
5
38
4
37
3
36
2
35
1
34

A 88 B 89 90 C 91 D 92 E 93 F

For full street detail of the highlighted area see page 92.

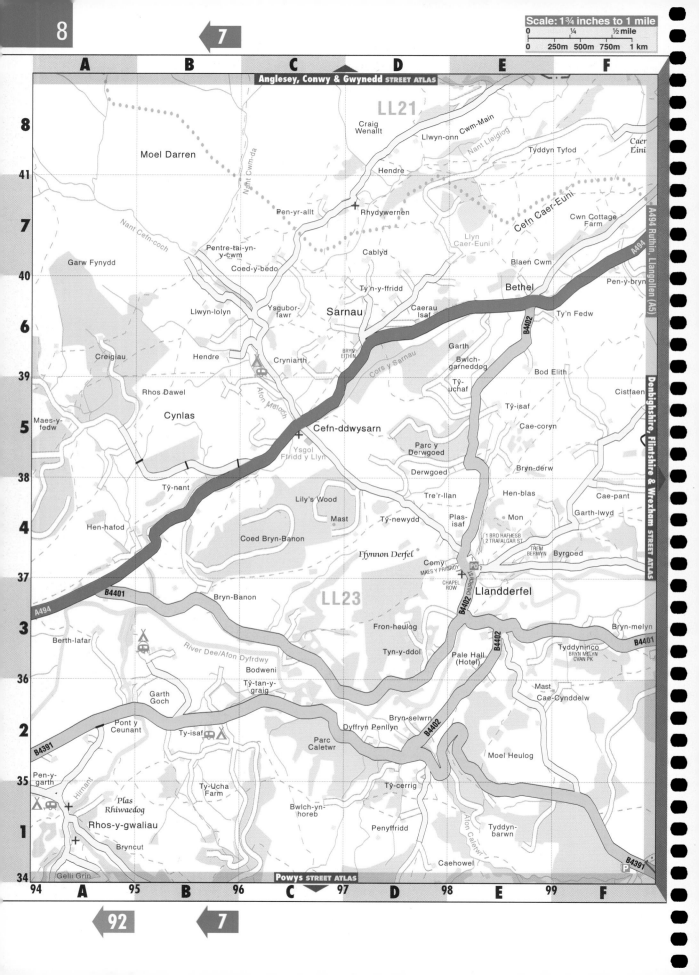

Rabbit Warren

LL47

LL46

93

8

33

7

32

6

FFORDD GLAN MOR

Sch

LC

CH

LC

PO

A496

Harlech

31

Coll

LC

B4573

FFORDD NEWYDD

Hotel

5

30

Groes-las

FFORDD UCHAF

PANT-YR-OWEN

FFORDD UWCH GLAN

4

Tremadog Bay/
Bae Tremadog

93

Cvn Site

29

93

Llandanwg

Farm Park

Llandanwg

SARN HIR

A496

3

St Tanwy's Church

Ymwlch

Pensarn

28

Bar Newydd

2

Morfa Mawr

27

Llanbedr

Mochras
(Shell Island)

Mast

LC

Ford

P

Airfield

LL45

1

P

Mast

26

52   A   53   B   54   C   55   D   56   E   57   F

For full street detail of the highlighted area see page 93.

16

10

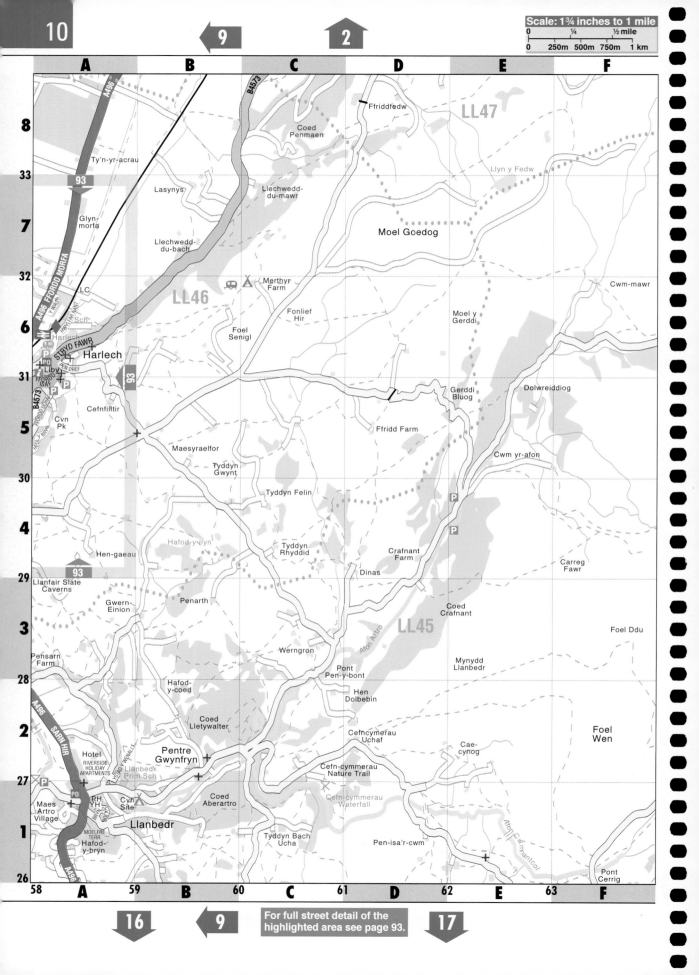

9

2

Scale: 1¾ inches to 1 mile

0   ¼   ½ mile

0   250m 500m 750m 1 km

A   B   C   D   E   F

LL47

8

Ffriddfedw

Coed Penmaen

Llyn y Fedw

33

Ty'n-yr-acrau

Lasynys

Llechwedd-du-mawr

93

7

Glyn-morfa

Llechwedd-du-bach

Moel Goedog

32

LC

Cwm-mawr

Merthyr Farm

LL46

Y WAUN

Sch

Fonlief Hir

Moel y Gerddi

6

Harlech

Foel Senigl

Harlech

STRYD FAWR

Liby

EN DREF

Harlech

PO

P

P

31

B4573

Cefnfilltir

93

Gerddi Bluog

Dolwreiddiog

Cvn Pk

5

Maesyraelfor

Ffridd Farm

Cwm yr-afon

Tyddyn Gwynt

30

Tyddyn Felin

P

4

Hen-gaeau

Hafod-y-llyn

Tyddyn Rhyddid

P

Carreg Fawr

Crafnant Farm

29

Llanfair Slate Caverns

93

Dinas

Penarth

Coed Crafnant

Gwern-Einion

3

LL45

Foel Ddu

Werngron

Aron Artro

Pensarn Farm

Pont Pen-y-bont

Mynydd Llanbedr

28

Hafod-y-coed

Hen Dolbebin

A496

SARN HIR

Coed Lletywalter

Foel Wen

2

Hotel

Pentre Gwynfryn

Cefncymerau Uchaf

Cae-cynog

RIVERSIDE HOLIDAY APARTMENTS

Llanbedr Prim Sch

Cefn-cymmerau Nature Trail

27

PO

Coed Aberartro

Cefn-cymmerau Waterfall

Maes Artro Village

PH YH

Cvn Site

Llanbedr

Aron Cwmnantcol

Tyddyn Bach Ucha

1

Pen-isa'r-cwm

MOELFRE TERR

Hafod-y-bryn

Pont Cerrig

26

58   A   59   B   60   C   61   D   62   E   63   F

16

9

For full street detail of the highlighted area see page 93.

17

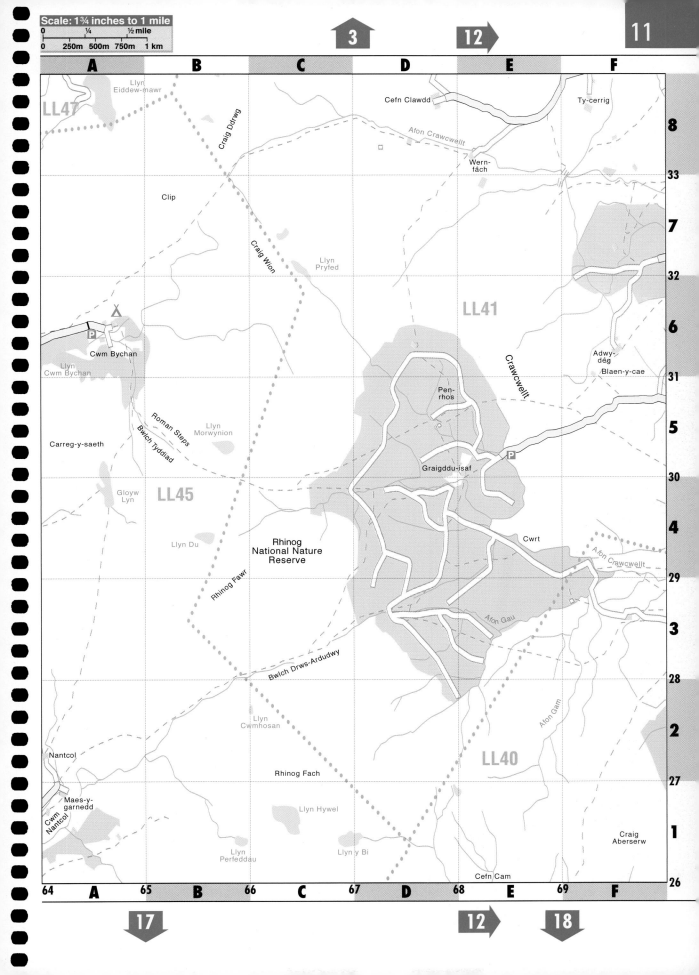

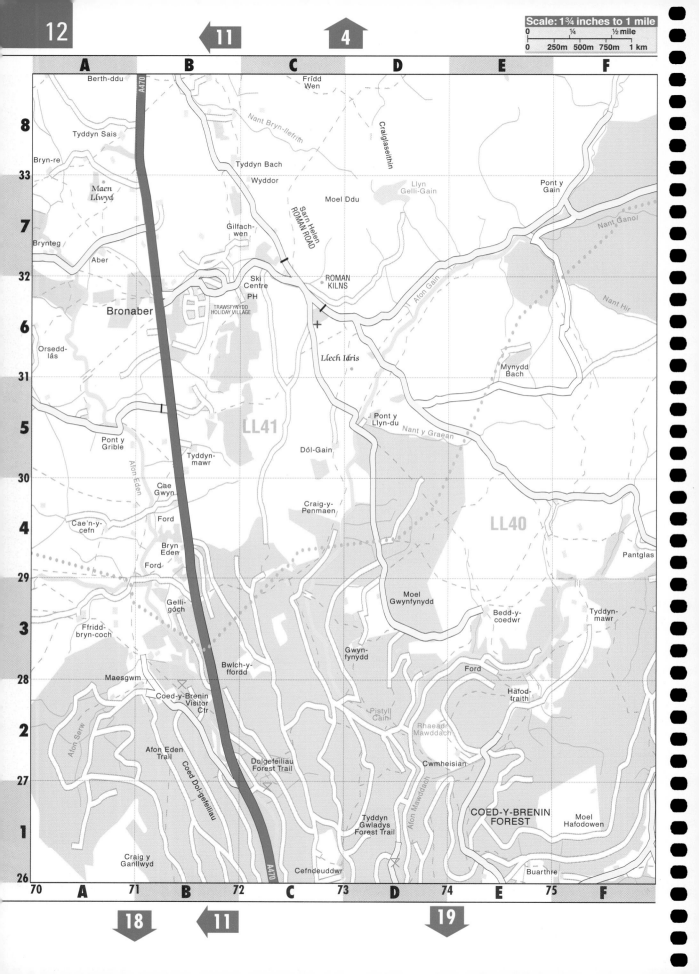

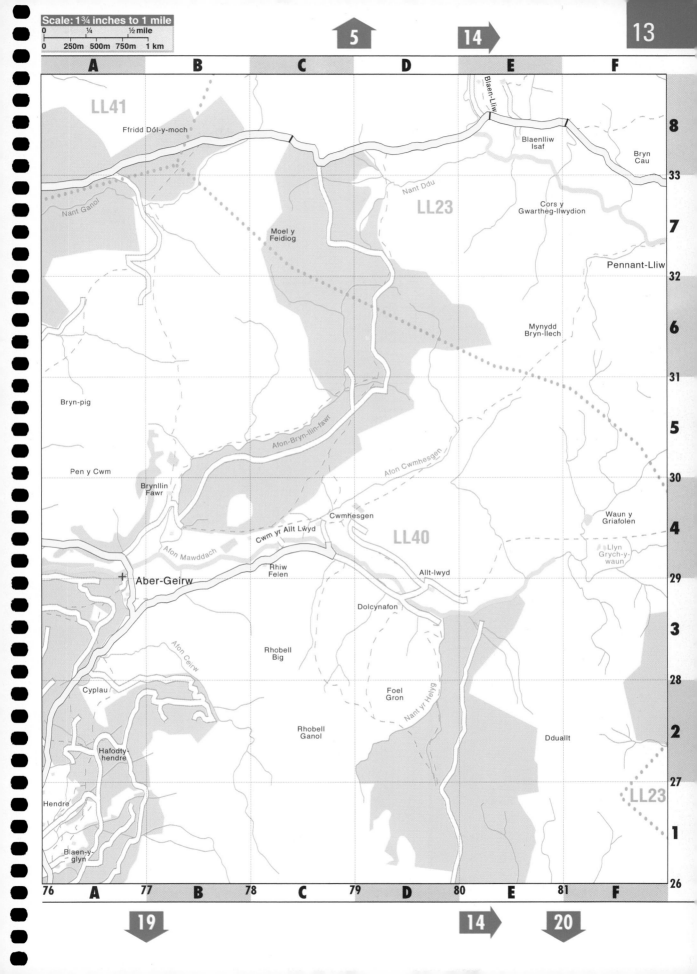

Scale: 1¾ inches to 1 mile

0   ¼   ½ mile
0   250m   500m   750m   1 km

5

14

LL41

Ffridd Dôl-y-moch

Nant Ganol

Blaen-Lliw

Blaenlliw Isaf

Bryn Cau

8

33

Nant Ddu

LL23

Cors y
Gwartheg-llwydion

7

Moel y
Feidiog

Pennant-Lliw

32

Mynydd
Bryn-llech

6

31

Bryn-pig

Afon-Bryn-llin-fawr

5

Afon Cwmhesgen

Pen y Cwm

30

Brynllin
Fawr

Waun y
Griafolen

4

Cwmhesgen

LL40

Cwm yr Allt Lŵyd

Llyn
Grych-y-
waun

Afon Mawddach

Rhiw
Felen

Allt-lwyd

29

Aber-Geirw

Dolcynafon

3

Afon Ceirw

Rhobell
Big

28

Cyplau

Foel
Gron

Nant yr Helyg

2

Rhobell
Ganol

Dduallt

27

Hafodty-
hendre

LL23

Hendre

1

Blaen-y-
glyn

26

76   A   77   B   78   C   79   D   80   E   81   F

19

14

20

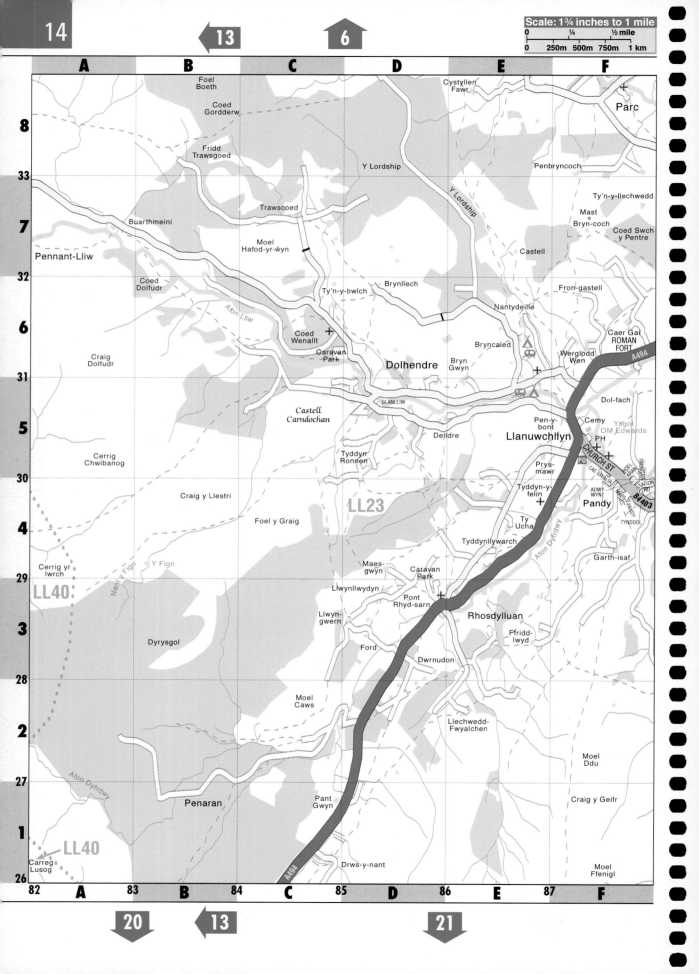

A B C D E F

8
33
7
32
6
31
5
30
4
29
3
28
2
27
1
26

Foel Boeth
Coed Gordderw
Cystyllen Fawr
Parc
Penbryncoch
Fridd Trawsgoed
Y Lordship
Ty'n-y-llechwedd
Trawscoed
Y Lordship
Mast Bryn-coch
Buarthmeini
Coed Swch y Pentre
Moel Hafod-yr-wyn
Castell
Pennant-Lliw
Brynllech
Coed Dolfudr
Ty'n-y-bwlch
Nantydeille
Fron-gastell
Afon Lliw
Coed Wenallt
Bryncaled
Caer Gai ROMAN FORT
A494
Caravan Park
Dolhendre
Werglodd Wen
Craig Dolfudr
Bryn Gwyn
Castell Carndochan
GLANLLIW
Dol-fach
Pen-y-bont
Cemy
Ysgol OM Edwards
Cerrig Chwibanog
Delldre
Llanuwchllyn
PH
CHURCH ST
Tyddyn Ronnen
PO
CAE GWALIA
MOEL ARAN
FRONGOCH
STATION RD
Prysmawr
Craig y Llestri
ADWY WYNT
MAES Y PANDY
B4403
Tyddyn-y-felin
Pandy
Foel y Graig
TYNDDOL
LL23
Ty Ucha
Cerrig yr Iwrch
Tyddynllywarch
Garth-isaf
Maesgwyn
Caravan Park
LL40
Nant y Fign
Y Fign
Llwynllwydyn
Pont Rhyd-sarn
Rhosdylluan
Dyrysgol
Llwyngwern
Ffridd-lwyd
Ford
Dwrnudon
Moel Caws
Llechwedd-Fwyalchen
Penaran
Moel Ddu
Afon Dyfrdwy
Pant Gwyn
Craig y Geifr
LL40
A494
Carreg Lusog
Drws-y-nant
Moel Ffenigl
Afon Dyfrdwy

82 A 83 B 84 C 85 D 86 E 87 F

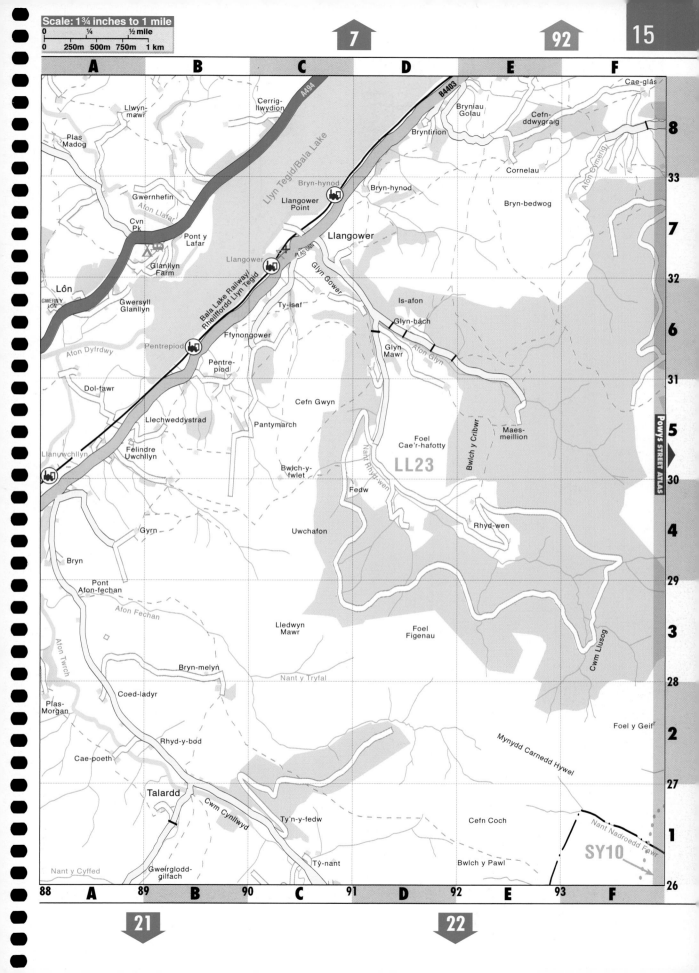

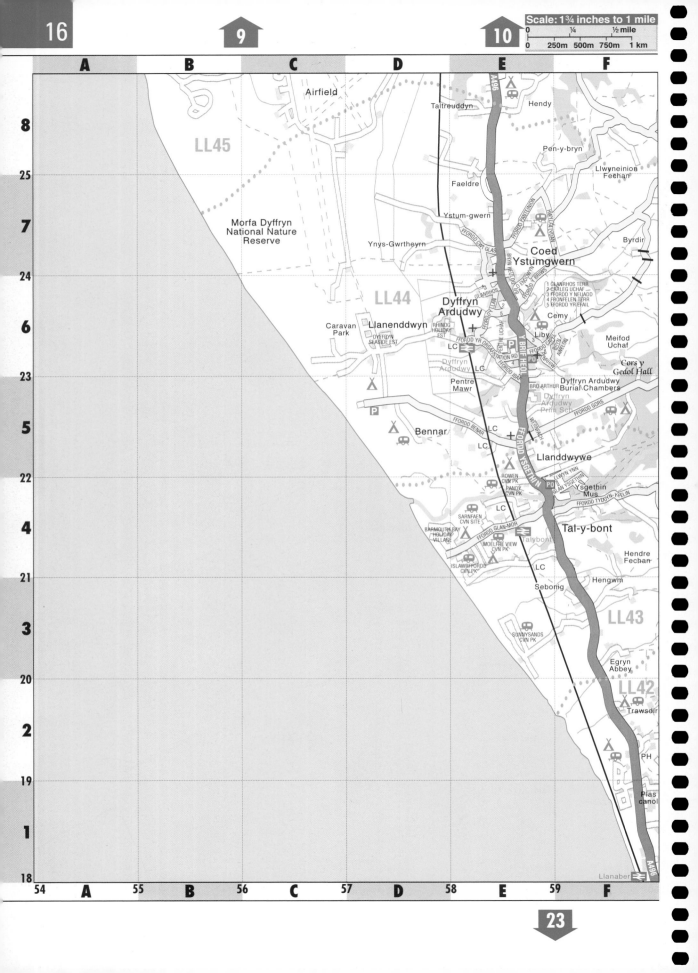

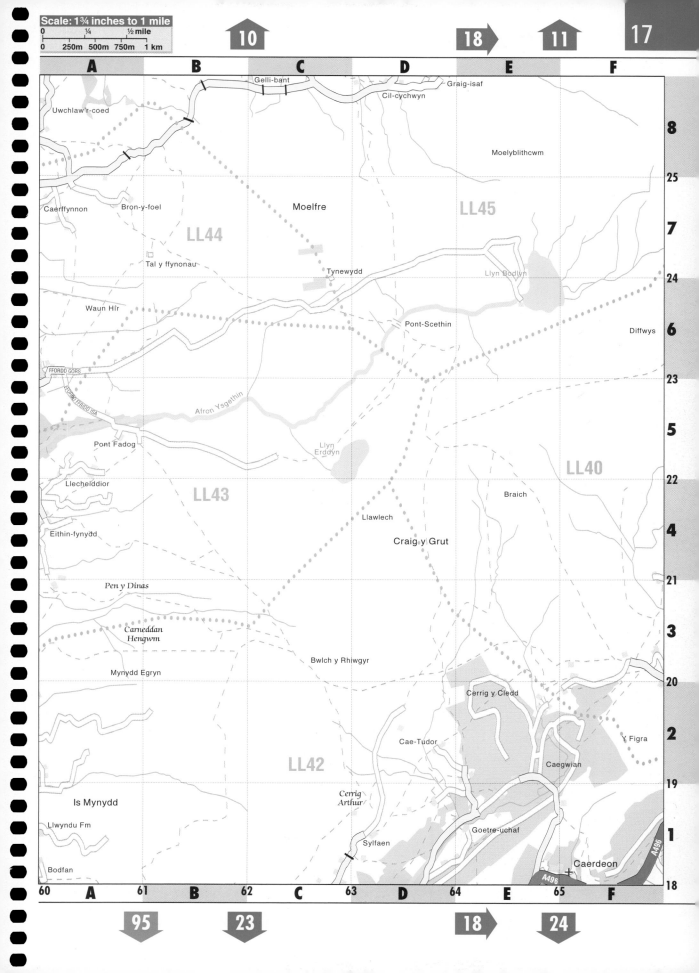

A   B   C   D   E   F

Uwchlaw'r-coed

Gelli-bant   Cil-cychwyn   Graig-isaf

Moelyblithcwm

8

25

Caerffynnon   Bron-y-foel   Moelfre   LL45

LL44   7

Tal y ffynonau   Tynewydd   Llyn Bodlyn   24

Waun Hîr   Pont-Scethin   Diffwys   6

FFORDD GORS   23

FFRIDD FERDDO ISA   Afron Ysgethin

Pont Fadog   Llyn Erddyn   5

Llechelddior   22

LL43   Llawlech   Braich   LL40

Eithin-fynydd   Craig y Grut   4

Pen y Dinas   21

Carneddan Hengwm   3

Mynydd Egryn   Bwlch y Rhiwgyr   20

Cerrig y Cledd

Cae-Tudor   Y Figra   2

LL42   Caegwian

Is Mynydd   19

Cerrig Arthur

Llwyndu Fm   Goetre-uchaf   1

Sylfaen

Bodfan   Caerdeon   A496

18

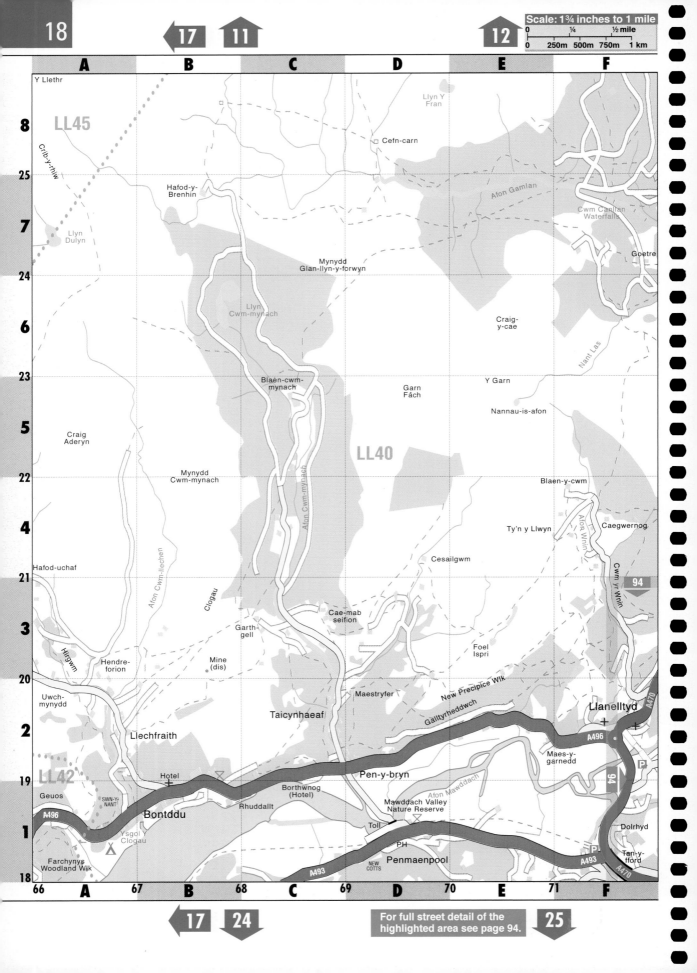

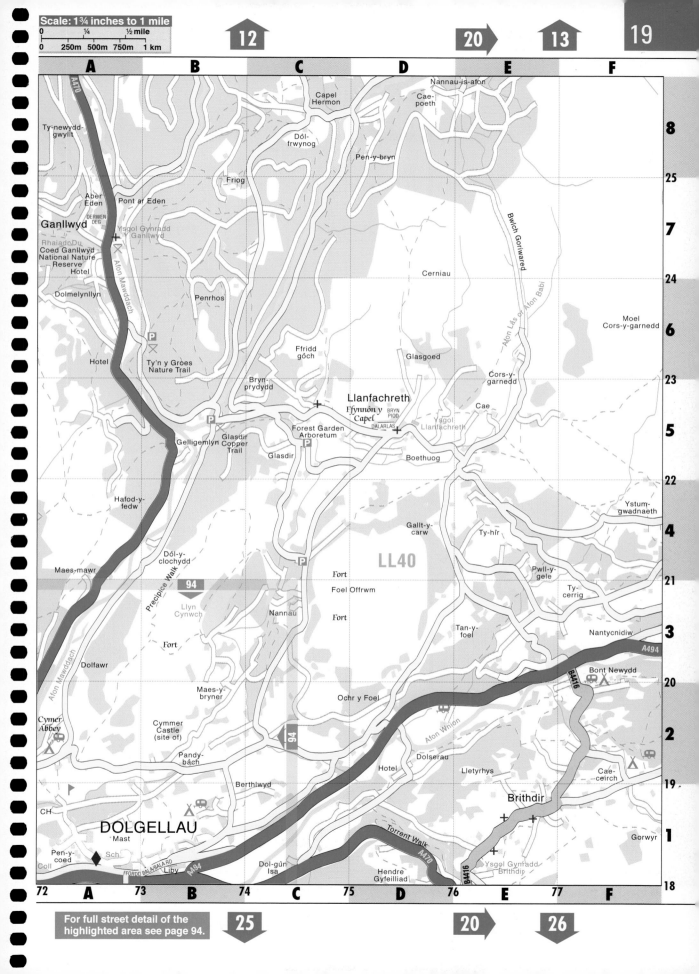

A   B   C   D   E   F

A470
Ty-newydd-gwyllt
Capel Hermon
Nannau-is-afon
Cae-poeth
8
Dól-frwynog
Pen-y-bryn
25
Aber Eden
Pont ar Eden
DERWEN DEG
Ganllwyd
Bwlch Goriwared
7
RhaiadrDu
Ysgol Gynradd Y Ganllwyd
Friog
Coed Ganllwyd National Nature Reserve
Hotel
Cerniau
24
Afon Mawddach
Dolmelynllyn
Penrhos
Afon Lâs or Afon Babi
6
Moel Cors-y-garnedd
P
Hotel
Ty'n y Groes Nature Trail
Ffridd góch
Glasgoed
Cors-y-garnedd
23
Bryn-prydydd
Llanfachreth
Cae
5
P
Ffynnon y Capel
BRYN PIOD
Ysgol Llanfachreth
Gelligemlyn
Glasdir Copper Trail
Forest Garden Arboretum
P
DALARLAS
Glasdir
Boethuog
22
Hafod-y-fedw
Ystumgwadnaeth
4
Dól-y-clochydd
Gallt-y-carw
Ty-hir
Pwll-y-gele
Maes-mawr
Precipice Walk
94
Foel Offrwm
LL40
Ty-cerrig
21
Llyn Cynwch
Fort
Fort
Nannau
Fort
Tan-y-foel
Nantycnidiw
3
Fort
A494
Dolfawr
Bont Newydd
B4416
20
Maes-y-bryner
Ochr y Foel
Cymer Abbey
94
Afon Wnion
Cymmer Castle (site of)
Dolserau
2
Pandy-bách
Hotel
Lletyrhys
Cae-ceirch
Berthlwyd
19
CH
Brithdir
DOLGELLAU
Mast
Torrent Walk
Gorwyr
1
Pen-y-coed
Sch
Liby
A494
Dol-gún Isa
Hendre Gyfeilliad
A470
B4416
Ysgol Gynradd Brithdir
18
Coll
FFORDD BALA/BALA RD
Afon Mawddach

72   A   73   B   74   C   75   D   76   E   77   F

19
20

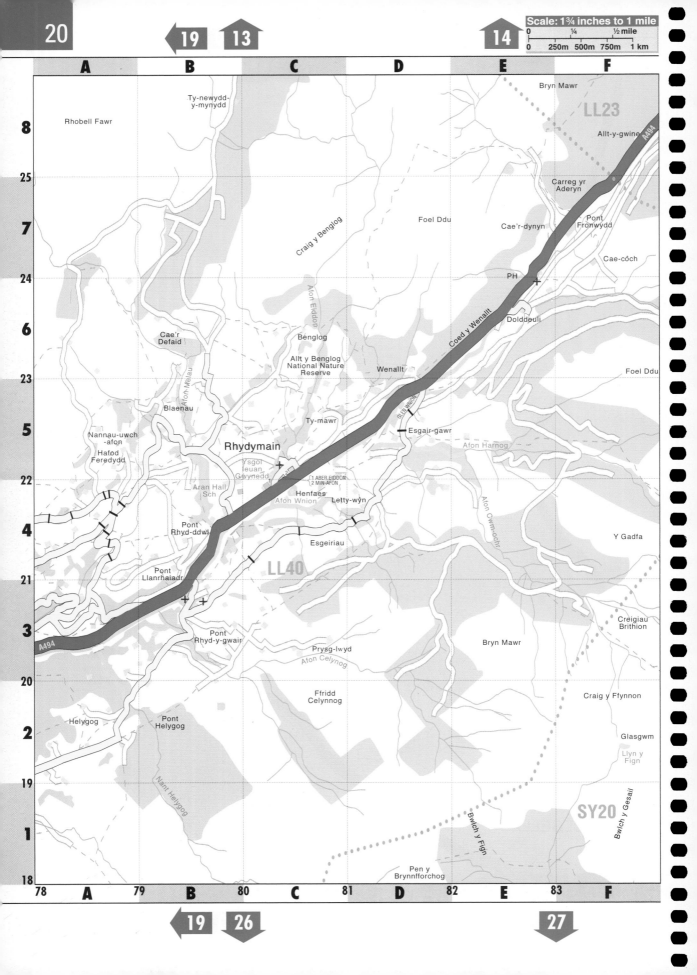

A   B   C   D   E   F

8

25

7

24

6

23

5

22

4

21

3

20

2

19

1

18

Rhobell Fawr

Ty-newydd-y-mynydd

LL23

Bryn Mawr

Allt-y-gwine

A494

Craig y Benglog

Foel Ddu

Cae'r-dynyn

Carreg yr Aderyn

Pont Fronwydd

Cae-côch

Cae'r Defaid

Afon Eiddon

Benglog

Coed y Wenallt

PH

Dolddeuli

Allt y Benglog National Nature Reserve

Wenallt

Foel Ddu

Afon Melau

Blaenau

Ty-mawr

GLEN MWNGL

Esgair-gawr

Afon Harnog

Nannau-uwch-afon

Rhydymain

Hafod Feredydd

Ysgol Ieuan Gwynedd

1 ABER-EIDDON
2 MIN-AFON

Aran Hall Sch

Henfaes

Afon Wnion

Letty-wŷn

Afon Cwm-ochr

Y Gadfa

Pont Rhyd-ddwl

Esgeiriau

Esgeiriau

LL40

Creigiau Brithion

Pont Llanrhaiadr

A494

Pont Rhyd-y-gwair

Prysg-lwyd

Afon Celynog

Bryn Mawr

Craig y Ffynnon

Helygog

Pont Helygog

Ffridd Celynnog

Glasgwm

Llyn y Fign

Nant Helygog

SY20

Bwlch y Fign

Bwlch y Gesail

Pen y Brynnfforchog

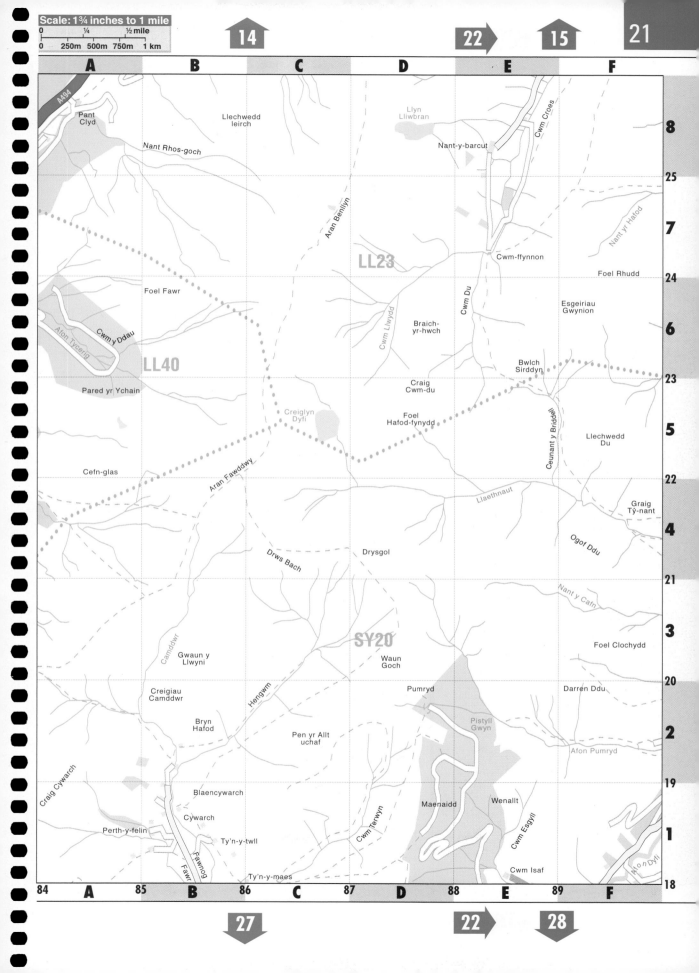

A B C D E F

8

Pant Clyd

A494

Llechwedd leirch

Llyn Lliwbran

Cwm Croes

Nant-y-barcut

25

Nant Rhos-goch

Nant yr Hafod

7

Aran Benllyn

LL23

Cwm-ffynnon

Foel Rhudd

24

Foel Fawr

Cwm Llwydd

Cwm Du

Esgeiriau Gwynion

6

Afon Tycerig

Cwm y Ddau

LL40

Braich-yr-hwch

Bwlch Sirddyn

23

Pared yr Ychain

Creiglyn Dyfi

Craig Cwm-du

Foel Hafod-fynydd

Ceunant y Briddell

Llechwedd Du

5

Cefn-glas

Aran Fawddwy

Llaethnaut

Graig Tŷ-nant

22

Drws Bach

Drysgol

Ogof Ddu

4

Nant y Cafn

21

Camddwr

SY20

Foel Clochydd

3

Gwaun y Llwyni

Waun Goch

Creigiau Camddwr

Hengwm

Pumryd

Darren Ddu

20

Bryn Hafod

Pen yr Allt uchaf

Pistyll Gwyn

2

Afon Pumryd

Craig Cywarch

Blaencywarch

Maenaidd

Wenallt

19

Perth-y-felin

Cywarch

Cwm Terwyn

Cwm Esgyll

1

Ty'n-y-twll

Afon Dyfi

Fawnog Fawr

Ty'n-y-maes

Cwm Isaf

18

84   A   85   B   86   C   87   D   88   E   89   F

Scale: 1¾ inches to 1 mile

0   ¼   ½ mile
0   250m 500m 750m 1 km

Powys STREET ATLAS

A **B** **C** **D** **E** **F**

Nant-hir
Cwm Cynllwyd
Tyn-y-fron
Afon Nadroedd

8

Braich-yr Owen

Afon Eiddew

25

Craig yr Ogof
Blaen-y-cwm
Tan y bwlch
7

Ffridd Wydd Afon

Moel y
Cerrig Duon
Allt y Gribin

24

LL23
Waun y Gadfa
Y Gadfa
Y Berwyn
National Nature
Reserve

Eunant Fawr

6

Allt
yr Eryn

P
Bwlch y Groes
23

Waun Drawsfan
SY10

5
Eunant Fach
Eunant

Craig y Pant
22
Ffridd Fawr

Wenallt
Bryn Mawr

Tap
Nyth-yr-eryr
Gallt
Ceiniogau
4

Blaen
pennant
Afon Rhiwlech
Hirddu Fawr

21

Pennant
Aber-Rhiwlech
Cefn Glas

3
Cwm Cerddin
Hirddu Fach

SY20

Pont y Pennant
20

Troed-y-foel
River Dovey / Afon Dyfi
Mynydd Coch

2
Cwm Llygoed
Blaen Cownwy

Bryn
Pen-y-gelli
Afon Cownwy

19
+ +
SY21

Llanymawddwy
Cwm pen-y-gelli
Afon Twrch
Hen Gerrig

1
Tap Mawr

Bryn Mawr
18

90 **A** 91 **B** 92 **C** 93 **D** 94 **E** 95 **F**

Powys STREET ATLAS

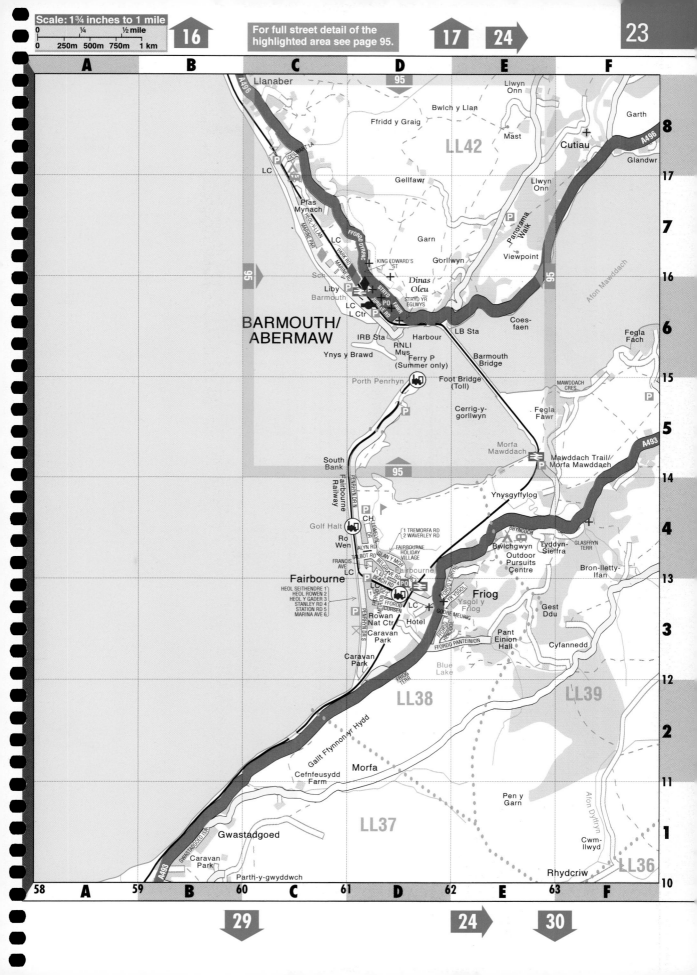

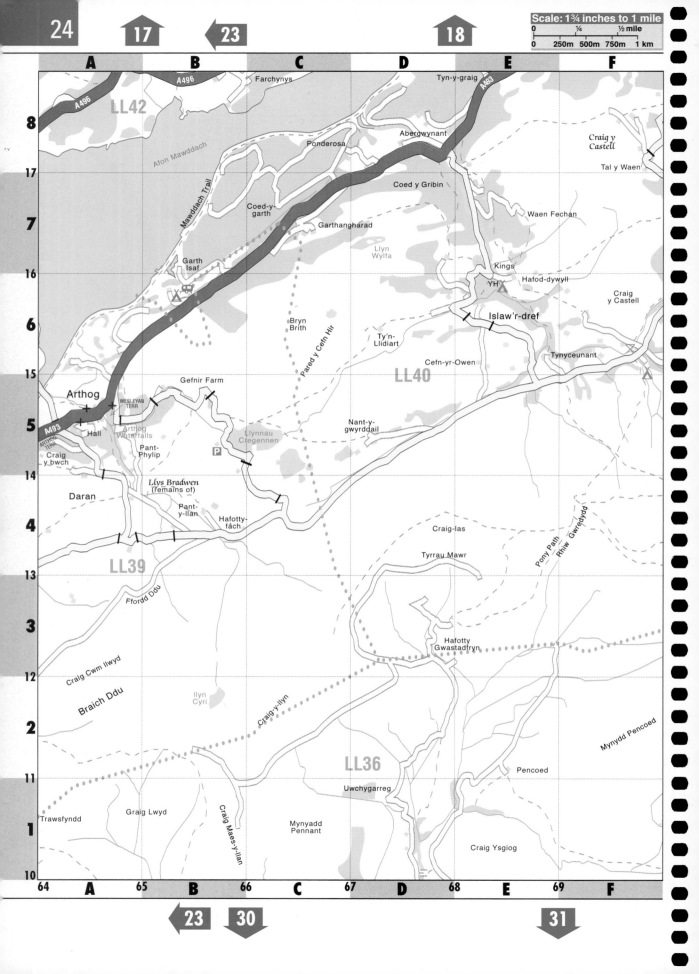

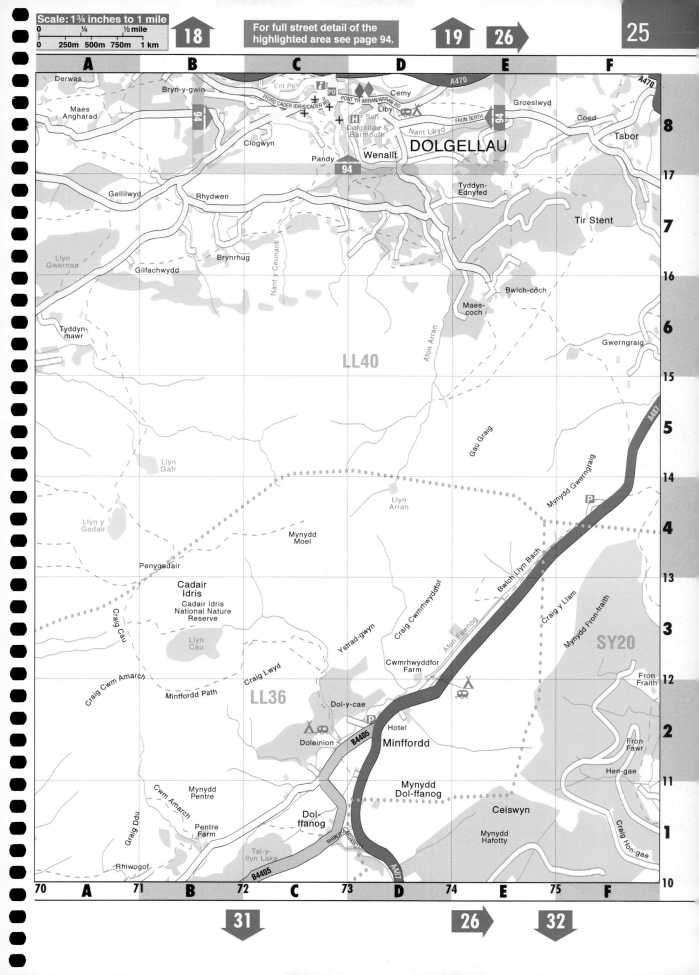

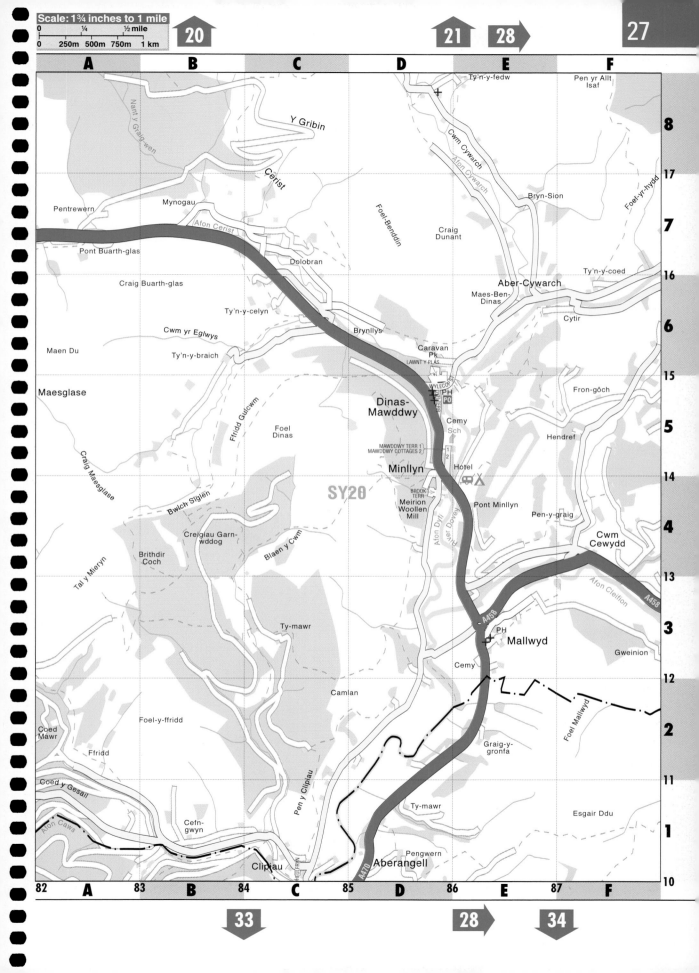

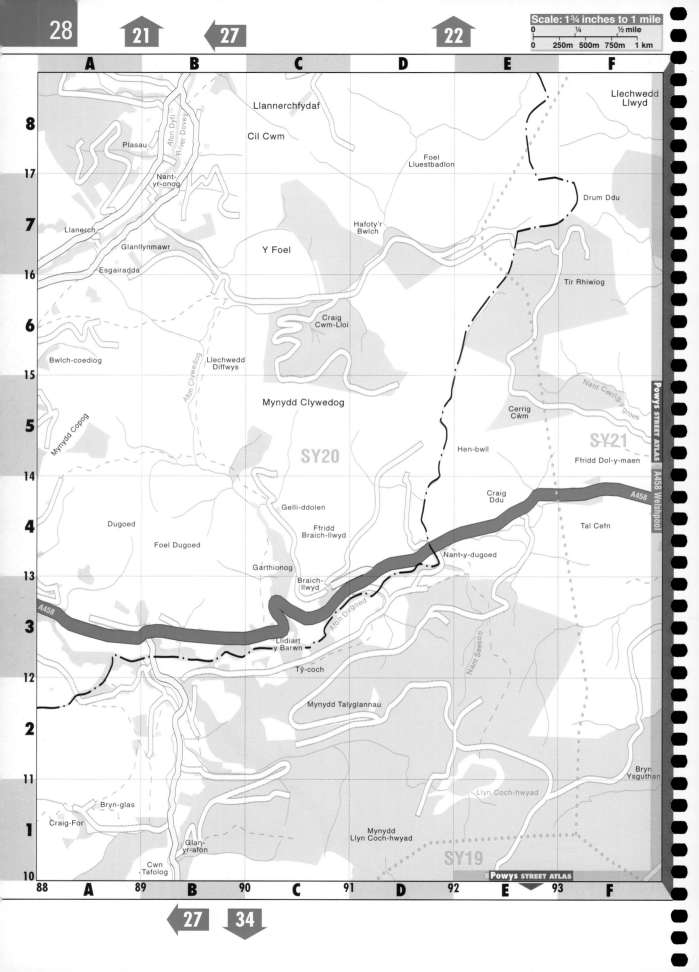

Scale: 1¾ inches to 1 mile

0 ¼ ½ mile
0 250m 500m 750m 1 km

A **B** **C** **D** **E** **F**

Llechwedd
Llwyd

Llannerchyfydaf

Cil Cwm

Plasau

Afon Dyfi / River Dovey

Foel
Lluestbadlon

Drum Ddu

Nant-
yr-onog

Llanerch

Hafoty'r
Bwlch

Y Foel

Glanllynmawr

Tir Rhiwiog

Esgairadda

Craig
Cwm-Lloi

Bwlch-coediog

Afon Clywedog

Llechwedd
Diffwys

Nant Cerrig-y-groes

Mynydd Clywedog

Cerrig
Cŵm

SY21

Mynydd Copog

SY20

Hen-bwll

Ffridd Dol-y-maen

Craig
Ddu

A458

A458 Welshpool

Powys STREET ATLAS

Gelli-ddolen

Tal Cefn

Dugoed

Ffridd
Braich-llwyd

Foel Dugoed

Nant-y-dugoed

Garthionog

Braich-
llwyd

Aton Dugoed

A458

Llidiart
y Barwn

Nant Saeson

Tŷ-coch

Mynydd Talyglannau

Bryn
Ysguthan

Bryn-glas

Llyn Coch-hwyad

Craig-For

Glan-
yr-afon

Mynydd
Llyn Coch-hwyad

SY19

Cwn
Tafolog

88 **A** 89 **B** 90 **C** 91 **D** 92 **E** 93 **F**

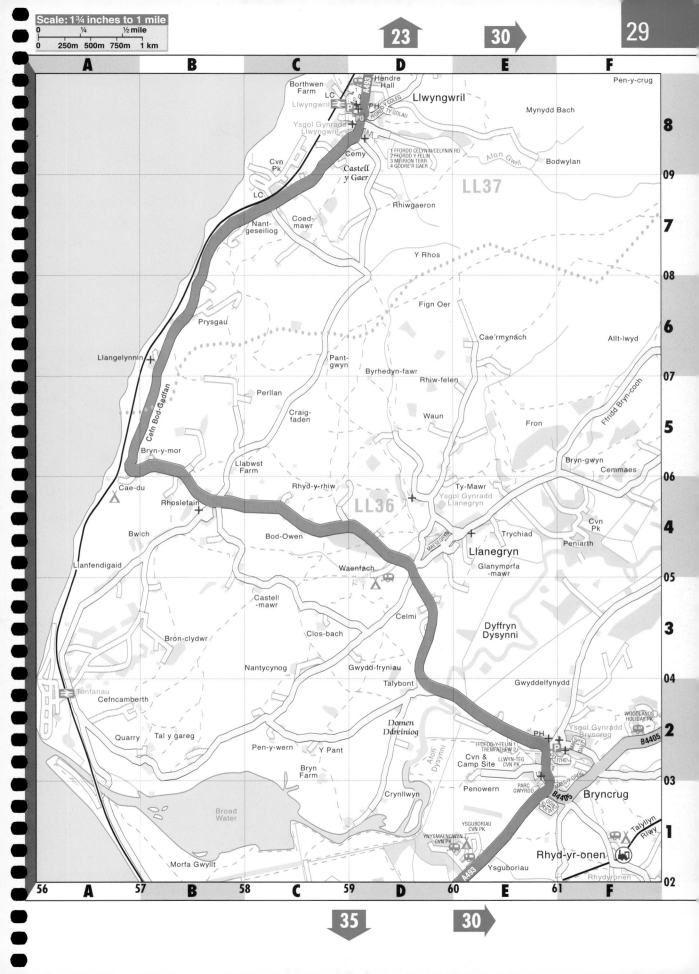

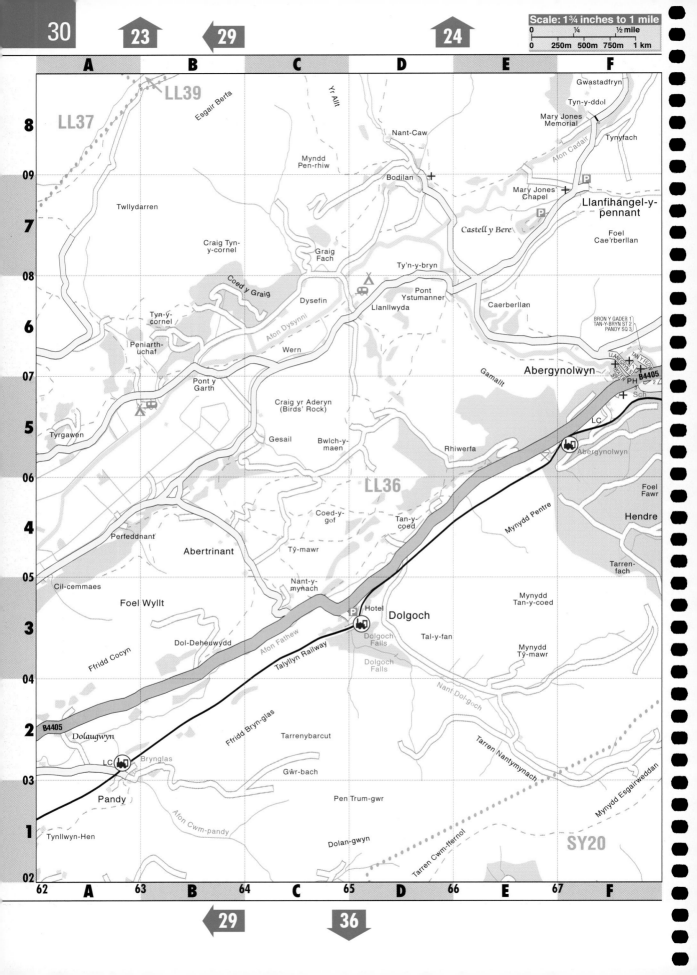

Scale: 1¾ inches to 1 mile

0   ¼   ½ mile

0   250m   500m   750m   1 km

A   **B**   **C**   **D**   **E**   **F**

LL39

LL37

Gwastadfryn

Tyn-y-ddol

Mary Jones
Memorial

Tynyfach

8

Esgair Berfa

Nant-Caw

Afon Cadair

Twllydarren

Myndd
Pen-rhiw

Bodilan

Mary Jones'
Chapel

P

Llanfihangel-y-
pennant

09

7

Craig Tyn-
y-cornel

Castell y Bere

P

Foel
Cae'rberllan

Graig
Fach

Ty'n-y-bryn

08

Coed y Graig

Dysefin

Pont
Ystumanner

Caerberllan

BRON Y GADER 1
TAN-Y-BRYN ST 2
PANDY SQ 3

6

Tyn-ý-
cornel

Llanllwyda

Afon Dysynni

Wern

Gamallt

Abergynolwyn

07

Peniarth-
uchaf

Pont y
Garth

PH

B4405

Sch

5

Tyrgawen

Craig yr Aderyn
(Birds' Rock)

Gesail

Bwlch-y-
maen

Rhiwerfa

LC

Abergynolwyn

06

LL36

Foel
Fawr

4

Perfeddnant

Abertrinant

Coed-y-
gof

Tan-y-
coed

Mynydd Pentre

Hendre

Tŷ-mawr

Tarren-
fach

05

Cil-cemmaes

Nant-y-
mynach

Mynydd
Tan-y-coed

3

Foel Wyllt

P

Hotel

Dolgoch

Tal-y-fan

Mynydd
Tŷ-mawr

Dol-Deheuwydd

Afon Fathew

Talyllyn Railway

Dolgoch
Falls

Dolgoch
Falls

Nant Dol-goch

04

Ffridd Cocyn

Tarren Nantymynach

2

B4405

Dolaugwyn

Ffridd Bryn-glas

Tarrenybarcut

Mynydd Esgairweddan

03

LC

Brynglas

Gŵr-bach

1

Pandy

Afon Cwm-pandy

Pen Trum-gwr

Tarren Cwm-ffernol

SY20

Tynllwyn-Hen

Dolan-gwyn

02

62   **A**   63   **B**   64   **C**   65   **D**   66   **E**   67   **F**

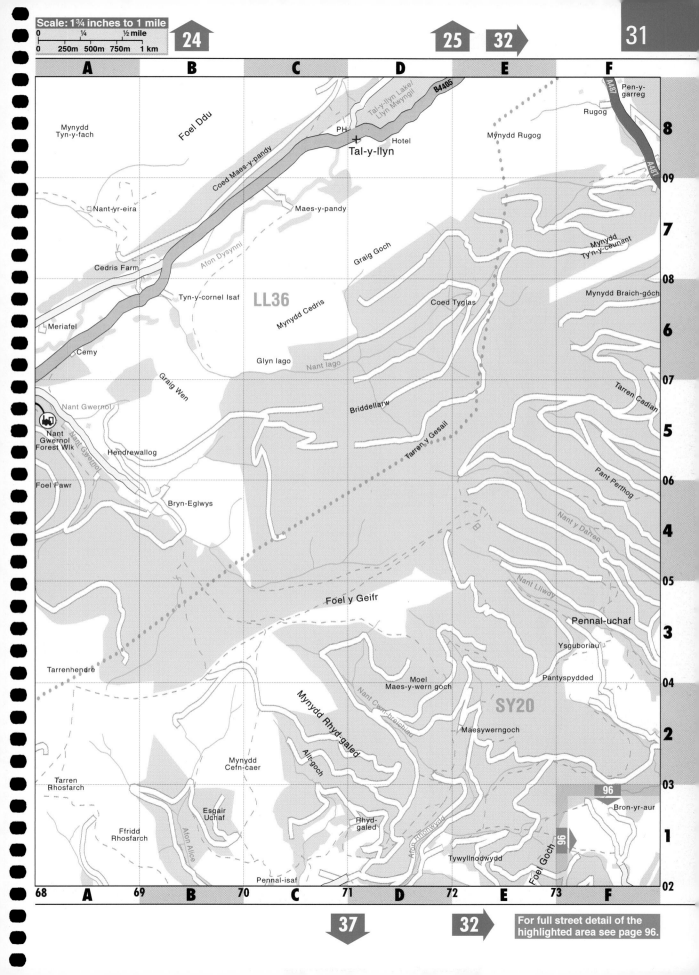

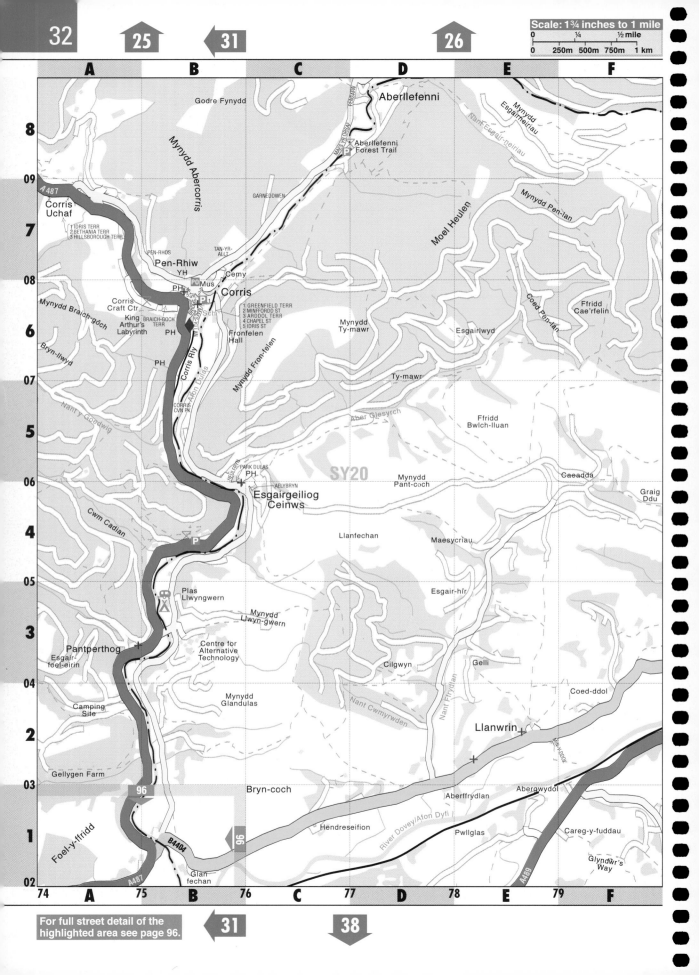

A   B   C   D   E   F

8

Godre Fynydd

Aberllefenni

Mynydd Esgairneiriau

Nant Esgair-neiriau

Mynydd Abercorris

Aberllefenni Forest Trail
P

09

A487

GARNEDDWEN

Mynydd Pen-lan

Corris Uchaf

Moel Heulen

7

1 IDRIS TERR
2 BETHANIA TERR
3 HILLSBOROUGH TERR

PEN-RHOS

TAN-YR-ALLT

Coed Pen-lan

Ffridd Cae'rfelin

Pen-Rhiw
YH

Cemy

08

PO
Mus

Corris

PH

Mynydd Braich-goch

Corris Craft Ctr

PH

1 GREENFIELD TERR
2 MINFFORDD ST
3 ARDDOL TERR
4 CHAPEL ST
5 IDRIS ST

Mynydd Ty-mawr

Esgairlwyd

6

King Arthur's Labyrinth

BRAICH-GOCH TERR

Sch

PH

Fronfelen Hall

Bryn-llwyd

PH

Mynydd Fron-felen

Ty-mawr

07

Corris Rly

Afon Dulas

Nant y Goedwig

Aber Glesych

Ffridd Bwlch-lluan

5

CORRIS CVN PK

Caeadda

06

PARK DULAS
PH

Mynydd Pant-coch

Graig Ddu

AELYBRYN

SY20

Esgairgeiliog Ceinws

4

Cwm Cadian

P

Llanfechan

Maesycriau

05

Esgair-hir

3

Plas Llwyngwern

Mynydd Llwyn-gwern

Centre for Alternative Technology

Cilgwyn

Gelli

04

Pantperthog

Coed-ddol

Esgair-foel-eirin

Mynydd Glandulas

Nant Cwmyrwden

Nant Ffrydlan

Llanwrin

MIN-Y-DDOL

2

Camping Site

Abergwydol

03

Gellygen Farm

Bryn-coch

Aberffrydlan

96

Hendreseifion

River Dovey/Afon Dyfi

Pwllglas

Careg-y-fuddau

1

Foel-y-ffridd

96

B4404

Glan-fechan

Glyndwr's Way

A487

A489

02

74   A   75   B   76   C   77   D   78   E   79   F

For full street detail of the highlighted area see page 96.

31

38

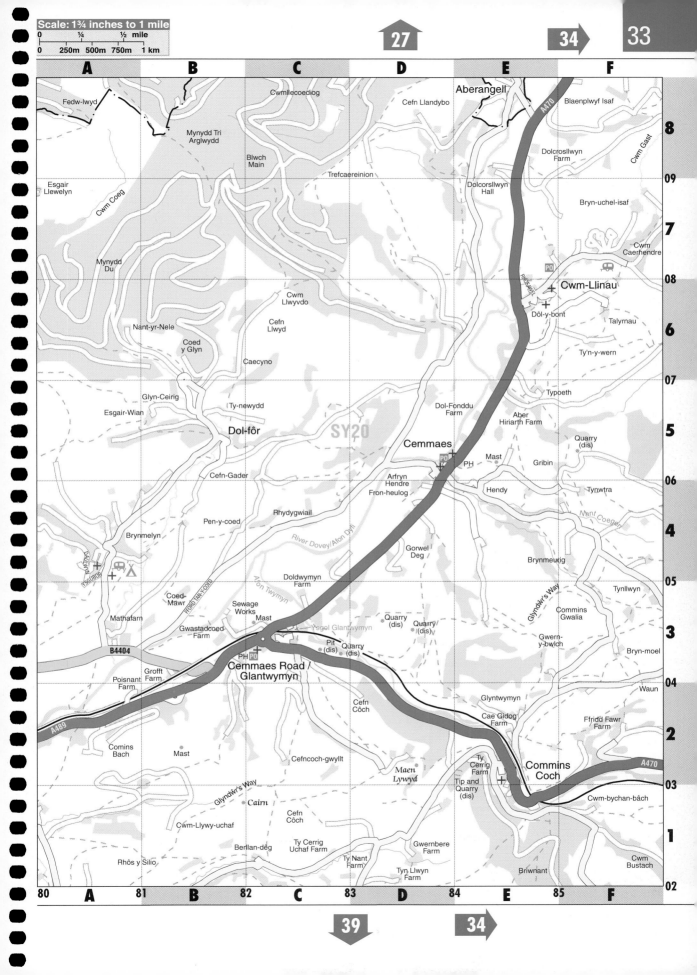

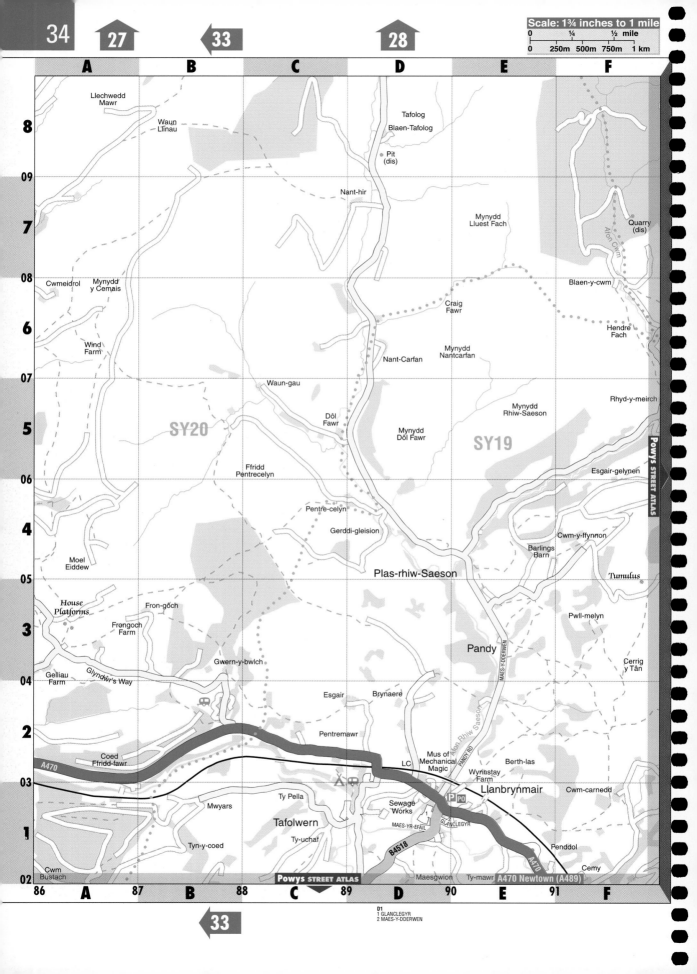

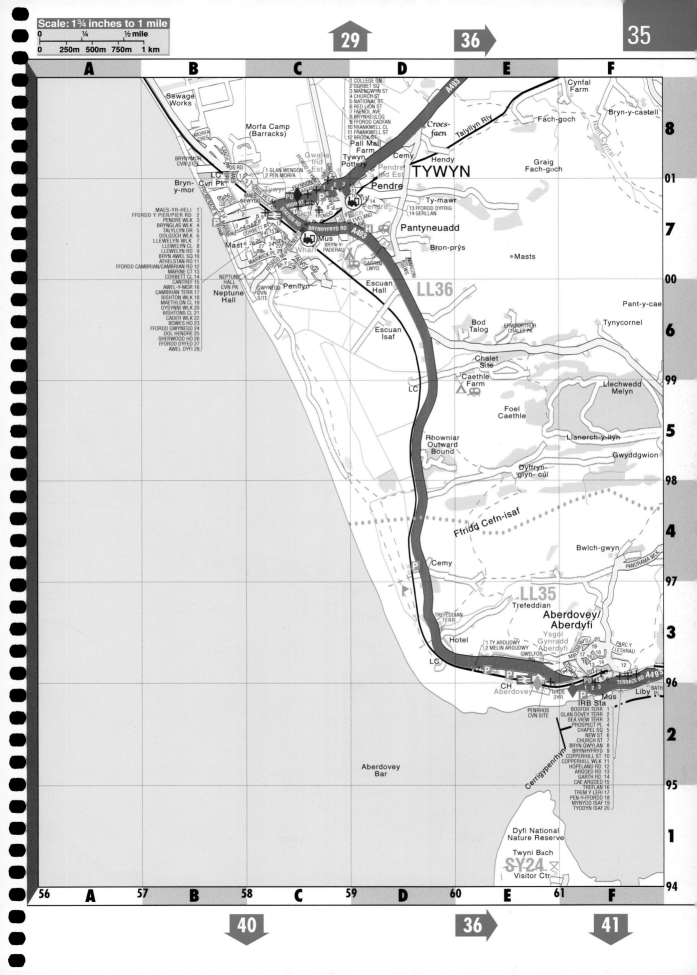

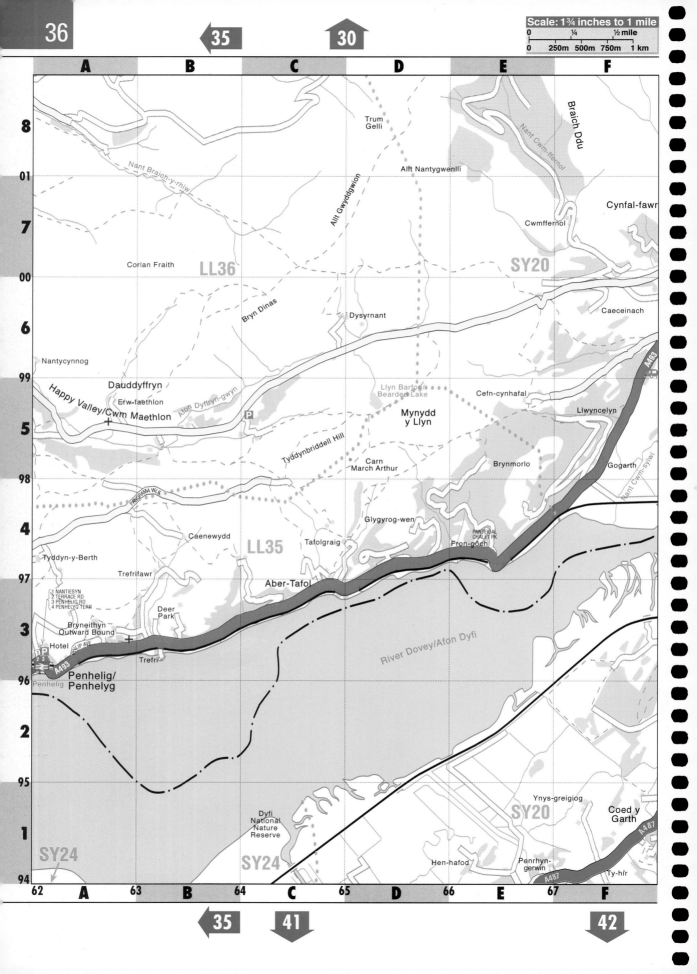

Column labels (top): A   B   C   D   E   F

Row labels (left): 8, 01, 7, 00, 6, 99, 5, 98, 4, 97, 3, 96, 2, 95, 1, 94

Braich Ddu

Nant Cwm-ffernol

Trum Gelli

Alit Nantygwenlli

Cynfal-fawr

Cwmffernol

Nant Braich-y-rhiw

Allt Gwyddgwion

LL36

SY20

Corlan Fraith

Caeceinach

Bryn Dinas

Dysyrnant

Nantycynnog

Dauddyffryn

Llyn Barfog/ Bearded Lake

Cefn-cynhafal

Llwyncelyn

Happy Valley/Cwm Maethlon

Efrw-faethlon

Afon Dyffryn-gwyn

Mynydd y Llyn

Brynmorlo

Gogarth

P

Tyddynbriddell Hill

Carn March Arthur

Nant Cwm-sylwi

PANORAMA WLK

Glygyrog-wen

PANTEIDAL CHALET PK

Caenewydd

LL35

Tatolgraig

Fron-gôch

Tyddyn-y-Berth

Trefrifawr

Aber-Tafol

Deer Park

River Dovey/Afon Dyfi

1 NANTIESYN
2 TERRACE RD
3 PENHELIG RD
4 PENHELIG TERR

Bryneithyn Outward Bound

PHILIP AVE

Hotel

Trefri

A493

Penhelig/ Penhelyg

Penhelig

Ynys-greigiog

SY20

Coed y Garth

A487

Dyfi National Nature Reserve

SY24

Hen-hafod

Penrhyn-gerwin

Ty-hîr

A487

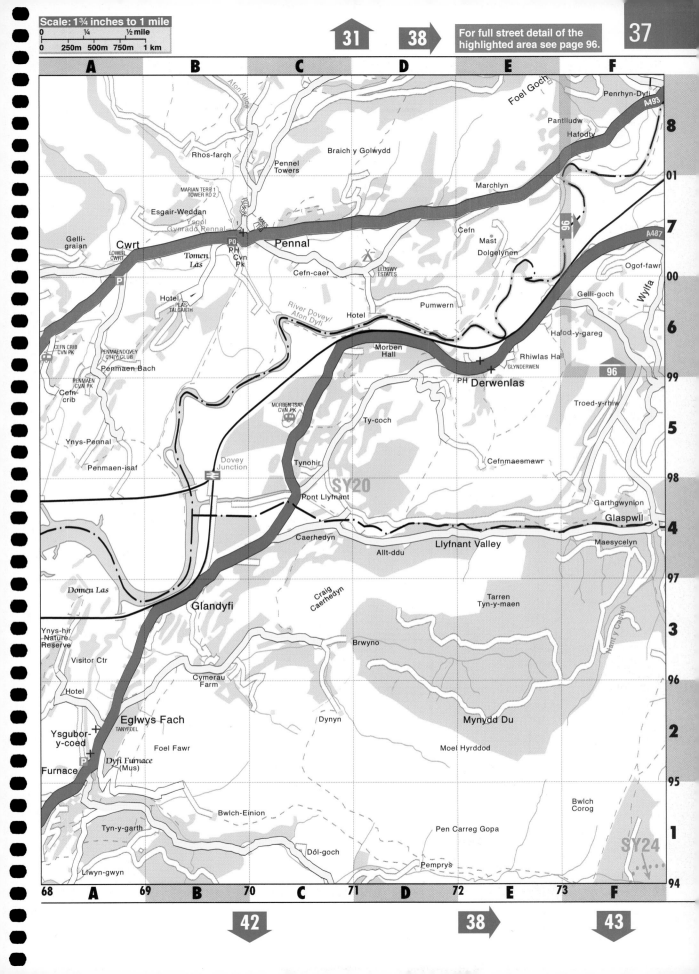

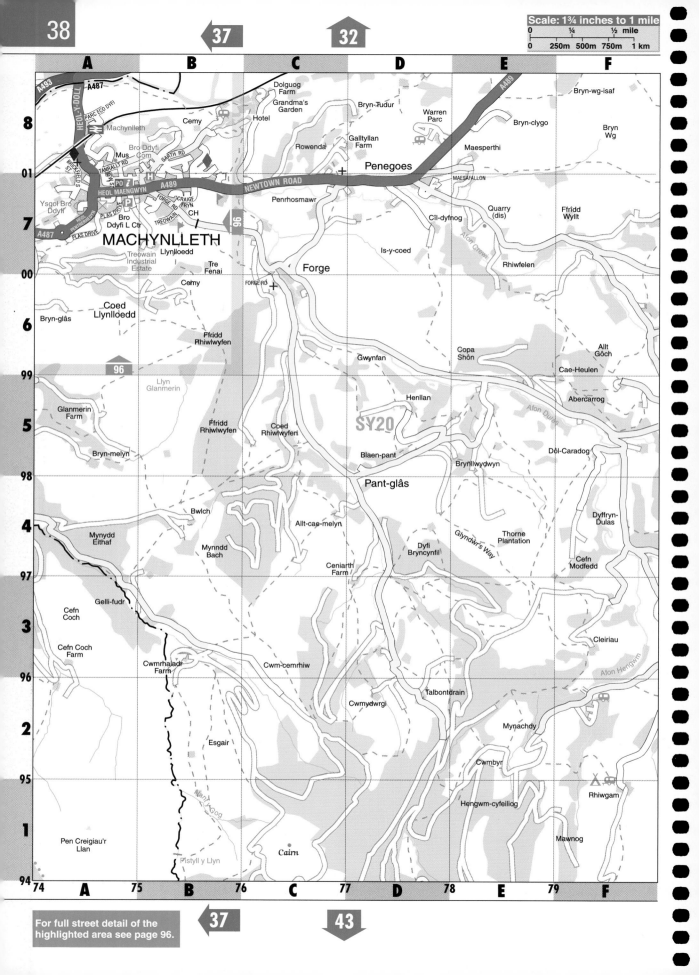

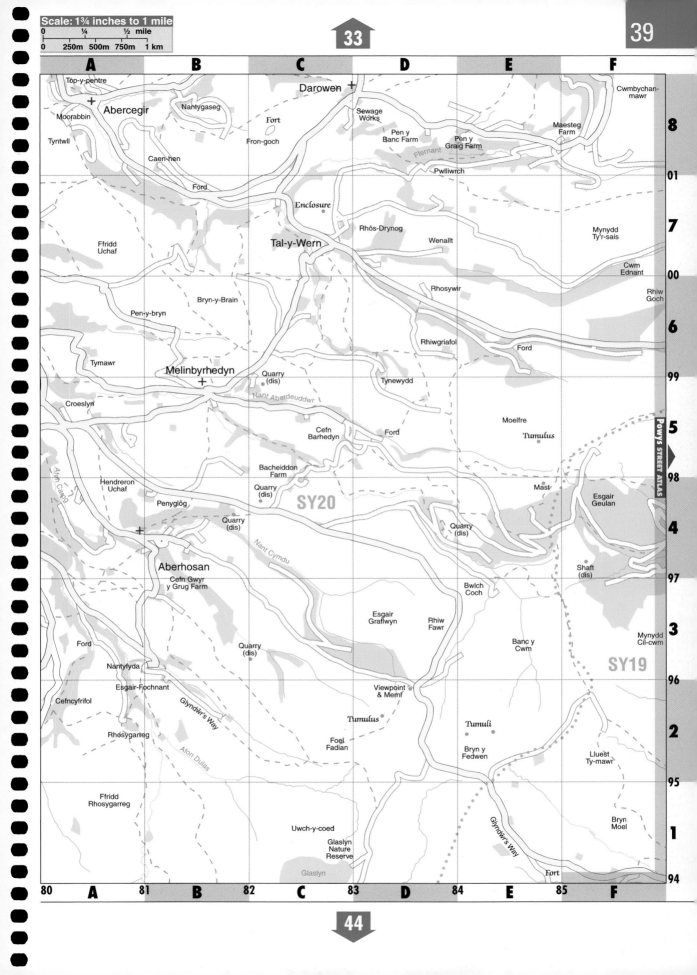

Scale: 1¾ inches to 1 mile
0   ¼   ½   mile
0   250m 500m 750m   1 km

A   B   C   D   E   F

8

93

7

92

6

91

5

90

4

89

3

88

2

87

1

86

55 A   56 B   57 C   58 D   59 E   60 F

Ynys
Tachwedd
RENFREW DR
Twyni
Mawr
Borth
Sands
P
LC

B4353

CH
YH

PRINCESS
ST
PO

BORTH

HIGH ST
P

Upper
Borth
Trawyn
Pelief
Craig
yr Wyfa
War
Meml
97
Brynrodyn
Ty'n-yr-
helyg

CLARACH
RD

Sch

Craig y Delyn

B4572

Ty-du

SY24

Brynbala

Bryn-
bwl

Blow Hole

Moelcerni

Rhyd-
meirionydd

SY23

For full street detail of the
highlighted area see page 97.

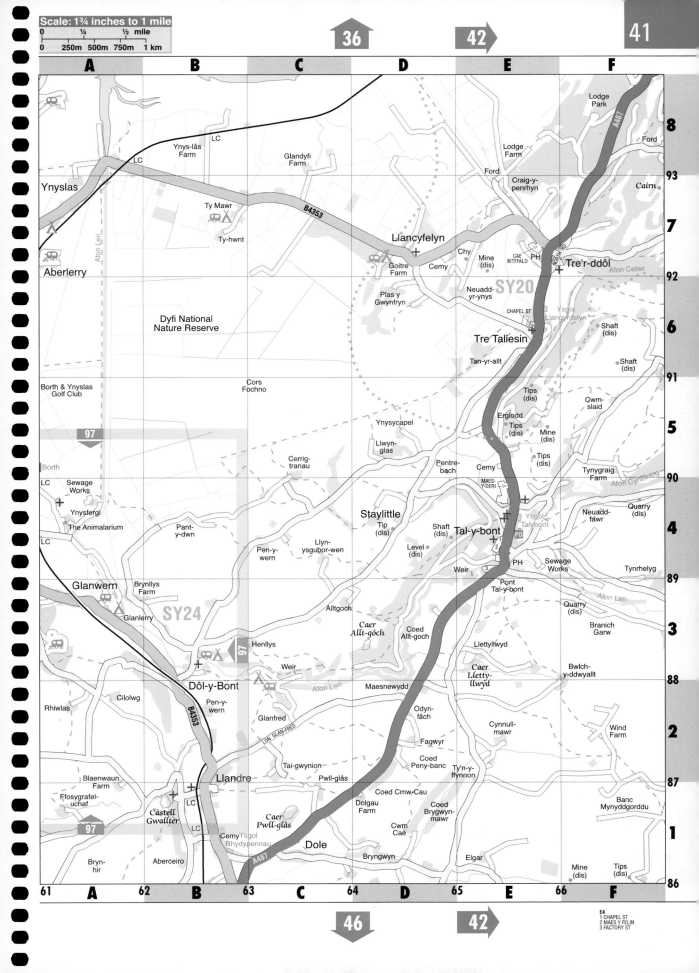

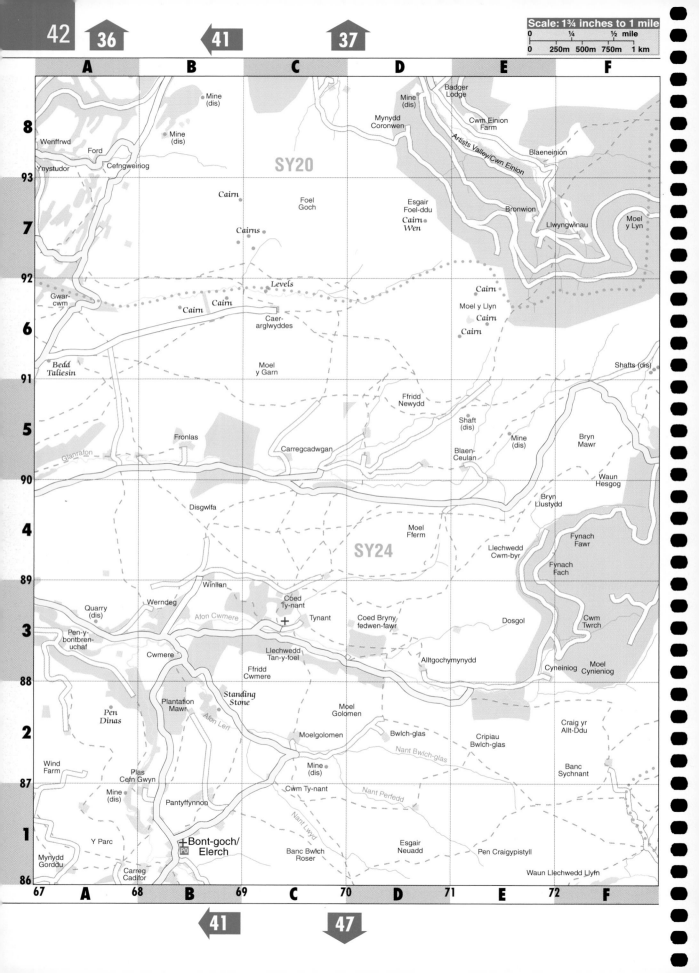

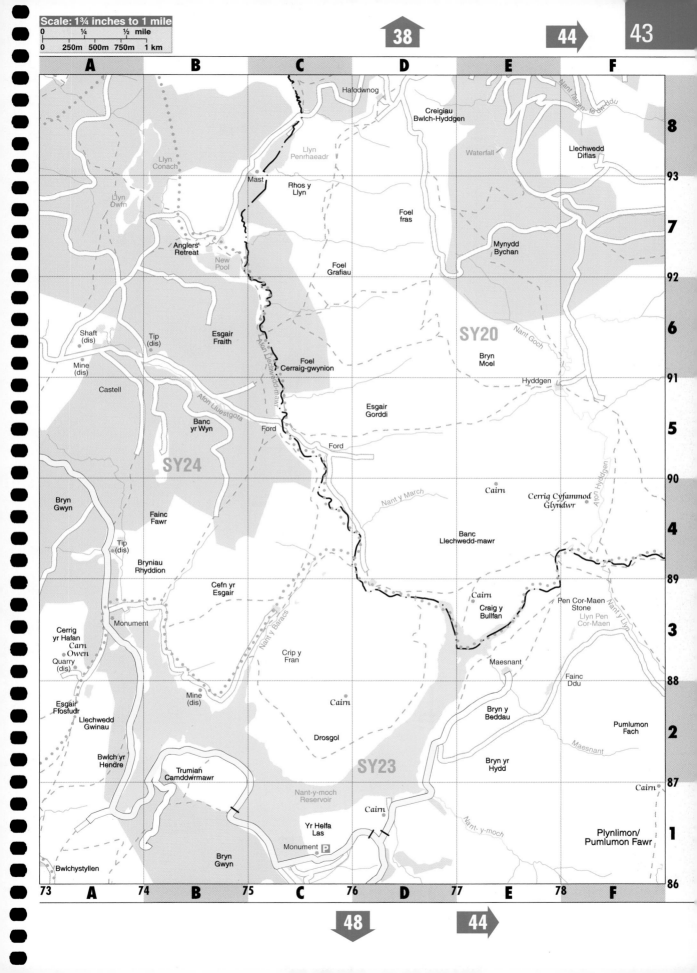

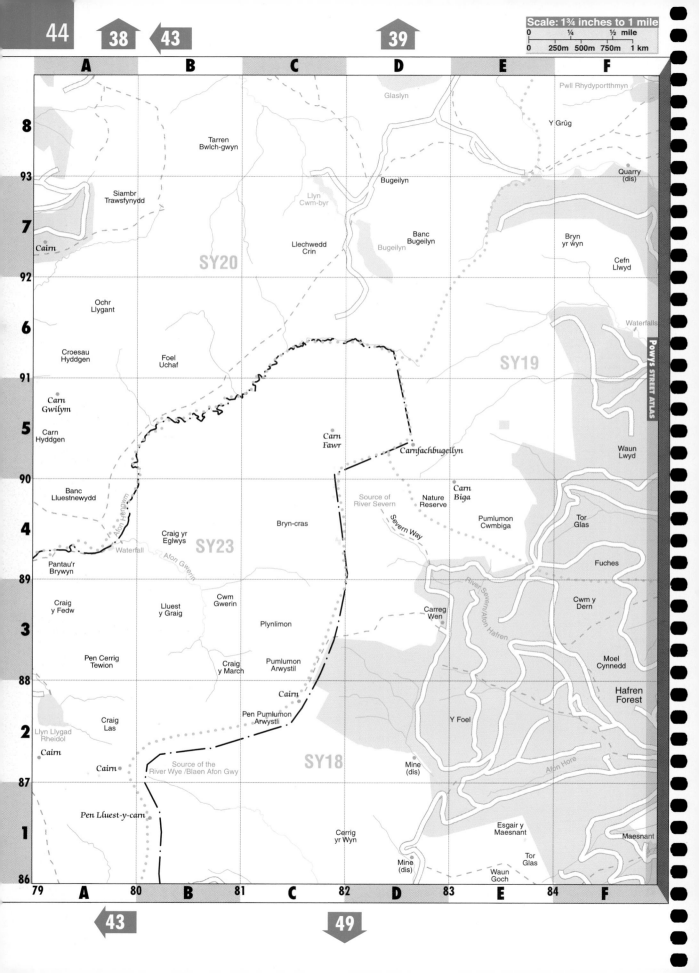

Powys Street Atlas

Pwll Rhydyportthmyn

Glaslyn

Y Grûg

Quarry (dis)

Tarren Bwlch-gwyn

Bugeilyn

Llyn Cwm-byr

Siambr Trawsfynydd

Banc Bugeilyn

Bryn yr wyn

Cefn Llwyd

SY20

Llechwedd Crin

Bugeilyn

Cairn

Ochr Llygant

SY19

Waterfalls

Croesau Hyddgen

Foel Uchaf

Waun Lwyd

Carn Gwilym

Carn Fawr

Carnfachbugeilyn

Carn Hyddgen

Carn Biga

Banc Lluestnewydd

Source of River Severn

Nature Reserve

Pumlumon Cwmbiga

Tor Glas

Afon Hengwm

Craig yr Eglwys

Bryn-cras

Severn Way

Fuches

Waterfall

Pantau'r Brywyn

Afon Gwerin

SY23

River Severn / Afon Hafren

Cwm y Dern

Craig y Fedw

Lluest y Graig

Cwm Gwerin

Carreg Wen

Plynlimon

Moel Cynnedd

Pen Cerrig Tewion

Craig y March

Pumlumon Arwystil

Y Foel

Hafren Forest

Craig Las

Cairn

Pen Pumlumon Arwystil

Llyn Llygad Rheidol

Cairn

Mine (dis)

Afon Hore

Cairn

Source of the River Wye / Blaen Afon Gwy

SY18

Pen Lluest-y-carn

Cerrig yr Wyn

Esgair y Maesnant

Maesnant

Mine (dis)

Tor Glas

Waun Goch

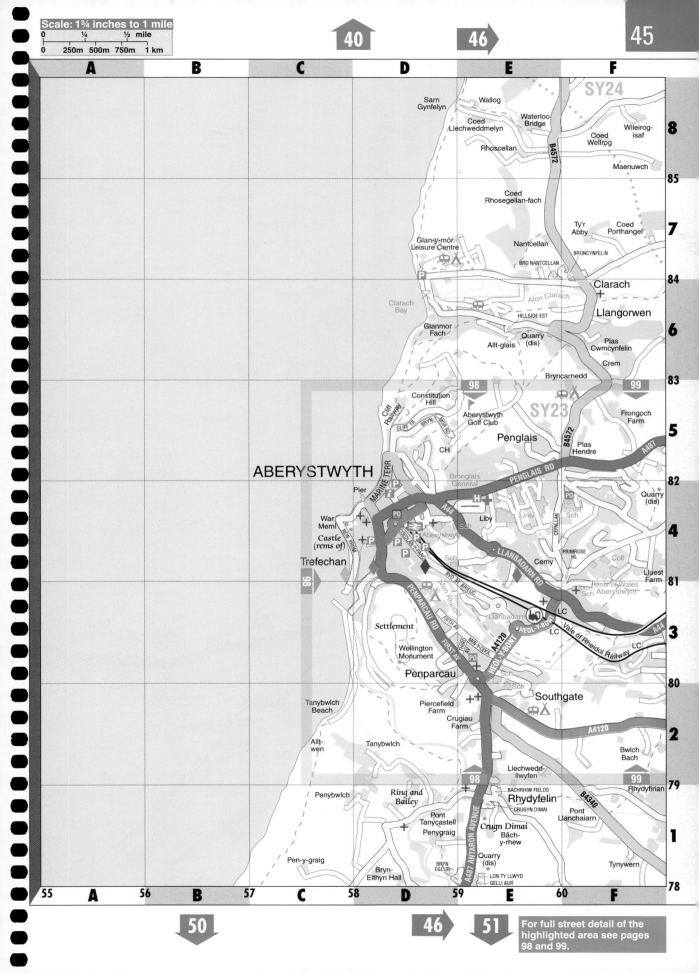

Scale: 1¾ inches to 1 mile

0 ¼ ½ mile
0 250m 500m 750m 1 km

SY24

ABERYSTWYTH

Sarn Gynfelyn
Wallog
Waterloo Bridge
Coed Llechweddmelyn
Rhoscellan
Coed Weilrog
Wileirog-isaf
Maenuwch
Coed Rhosegellan-fach
Ty'r Abby
Coed Porthangel
BRONCYNFELIN
Glan-y-môr Leisure Centre
Nantcellan
BRO NANTCELLAN
Clarach
Llangorwen
Clarach Bay
Glanmor Fach
HILLSIDE EST
Afon Clarach
Allt-glais
Quarry (dis)
Plas Cwmcynfelin
Crem
Bryncarnedd
Constitution Hill
Cliff Railway
CLIFF TR
BRYN-Y-MÔR RD
Aberystwyth Golf Club
Penglais
SY23
Frongoch Farm
Plas Hendre
CH
MARINE TERR
Pier
Bronglais General
Univ
Sch
PENGLAIS RD
B4572
A487
Quarry (dis)
War Meml
Castle (rems of)
Trefechan
NEW PROM
Liby
Sch
A44
CEFNLLAN
Univ
Cemy
PRIMROSE HL
Coll
Lluest Farm
Univ of Wales Aberystwyth
LLANBADARN RD
BVD ST BRIEUC
Afon Rheidol
Settlement
PENPARCAU RD
FIFTH AV
FOURTH AV
MIN-Y-DDOL
THIRD AV
FIRST AV
A4120
HEOL-Y-BONT
Llanbadarn
PO
Sch
LC
LC
Vale of Rheidol Railway
LC
A44
Wellington Monument
Penparcau
Southgate
Tanybwlch Beach
Piercefield Farm
Crugiau Farm
A4120
Bwlch Bach
Alltwen
Tanybwlch
Llechwedd-llwyfen
Rhydyfelin
BACHRHIW FIELDS
CRUGYN DIMAI
Rhydyfirian
B4340
Penybwlch
Ring and Bailey
Crugn Dimai
Bâch-y-rhew
Pont Llanchaiarn
Pont Tanycastell
Penygraig
A487 ANTARON AVENUE
BRYN EGLUR
Quarry (dis)
Pen-y-graig
Bryn-Eithyn Hall
LON TY LLWYD
GELLI AUR
Tynywern

For full street detail of the highlighted area see pages 98 and 99.

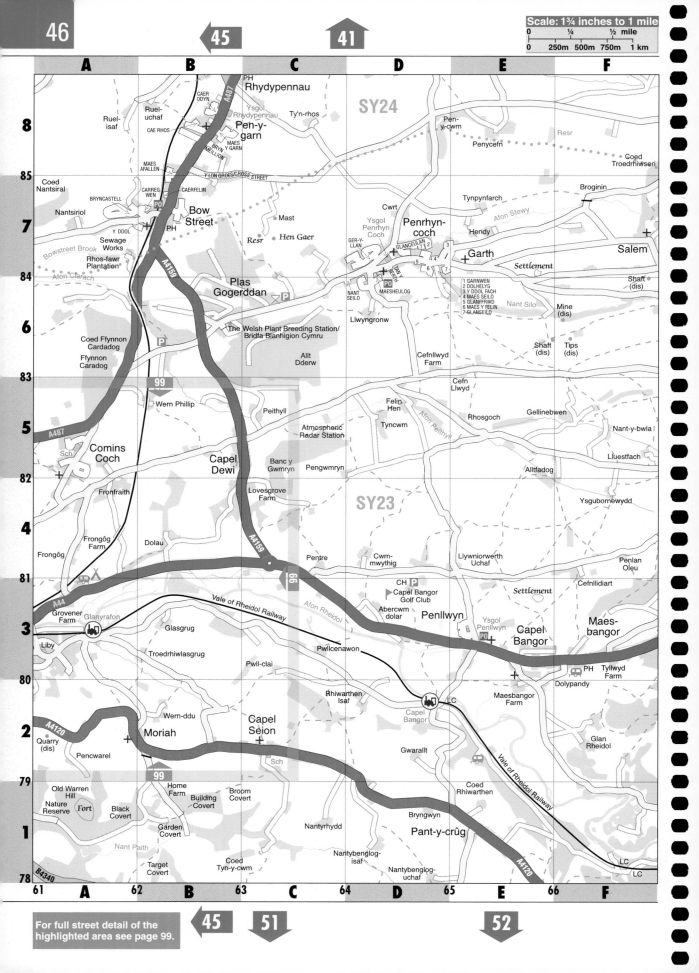

45

41

A B C D E F

8
85
7
84
6
83
5
82
4
81
3
80
2
79
1
78

SY24

Rhydypennau
PH
CAER ODYN
Ysgol Rhydypennau
Ty'n-rhos
Pen-y-cwm
Penycefn
Resr
Coed Troedrhiwseri

Ruel-isaf
Ruel-uchaf
Pen-y-garn
CAE RHOS
MAES MEILLION
BRYN Y GARN

Coed Nantsiral
MAES AFALLEN
Y LON GROES/CROSS STREET
Tynpynfarch
Broginin

Nantsiriol
BRYNCASTELL
CARREG WEN
PO
CAERFELIN
Cwrt
Ysgol Penrhyn Coch
Penrhyn-coch
Afon Stewy

Y DDOL
PH
Bow Street
Mast
Resr
Hen Gaer
GER-Y-LLAN
GLANCEULAN
1 2
3
4
5 6 7
Garth
Hendy
Settlement
Salem

Bowstreet Brook
Sewage Works
Rhos-fawr Plantation
Plas Gogerddan
P
TAN Y BERTH
PO
MAESHEULOG
NANT SEILO
Shaft (dis)

Afon Clarach
Coed Ffynnon Cardadog
P
The Welsh Plant Breeding Station/ Bridfa Blanhigion Cymru
Llwyngronw
1 GARNWEN
2 DOLHELYG
3 Y DDOL FACH
4 MAES SEILO
5 GLANFFRWD
6 MAES Y FELIN
7 GLANSEILO
Mine (dis)

Ffynnon Caradog
Allt Dderw
Cefnllwyd Farm
Nant Silo
Shaft (dis)
Tips (dis)

99
Wern Phillip
Peithyll
Felin Hen
Cefn Llwyd
Rhosgoch
Gellinebwen

Comins Coch
A487
Sch
Capel Dewi
Banc y Gwmryn
Atmospheric Radar Station
Tyncwm
Afon Peithyll
Nant-y-bwla
Lluestfach

Fronfraith
Pengwmryn
SY23
Alltfadog
Ysguborneuwydd

Frongôg Farm
Lovesgrove Farm
Dolau
Llywniorwerth Uchaf
Cefnlliidiart
Penlan Oleu

Frongôg
A4159
Pentre
Cwm-mwythig
Settlement

A44
CH P
Capel Bangor Golf Club
66
Abercwm dolar
Penllwyn
Ysgol Penllwyn
PO
Capel Bangor
Maes-bangor

Grovener Farm
Glanyrafon
Glasgrug
Vale of Rheidol Railway
Afon Rheidol
Pwllcenawon

Liby
Troedrhiwlasgrug
Pwll-clai
LC
Maesbangor Farm
PH
Tyllwyd Farm
Dolypandy

A4120
Wern-ddu
Moriah
Capel Seion
Rhiwarthen Isaf
Capel Bangor
LC
Glan Rheidol

Quarry (dis)
Pencwarel
Sch
Gwarallt
Vale of Rheidol Railway

99
Home Farm
Broom Covert
Nantyrhydd
Coed Rhiwarthen
Bryngwyn

Old Warren Hill
Nature Reserve
Fort
Black Covert
Building Covert
Garden Covert
Pant-y-crûg
A4120

Nant Paith
Target Covert
Coed Tyn-y-cwm
Nantybenglog-isaf
Nantybenglog-uchaf
LC

B4340
LC

61 A 62 B 63 C 64 D 65 E 66 F

45
51
52

For full street detail of the highlighted area see page 99.

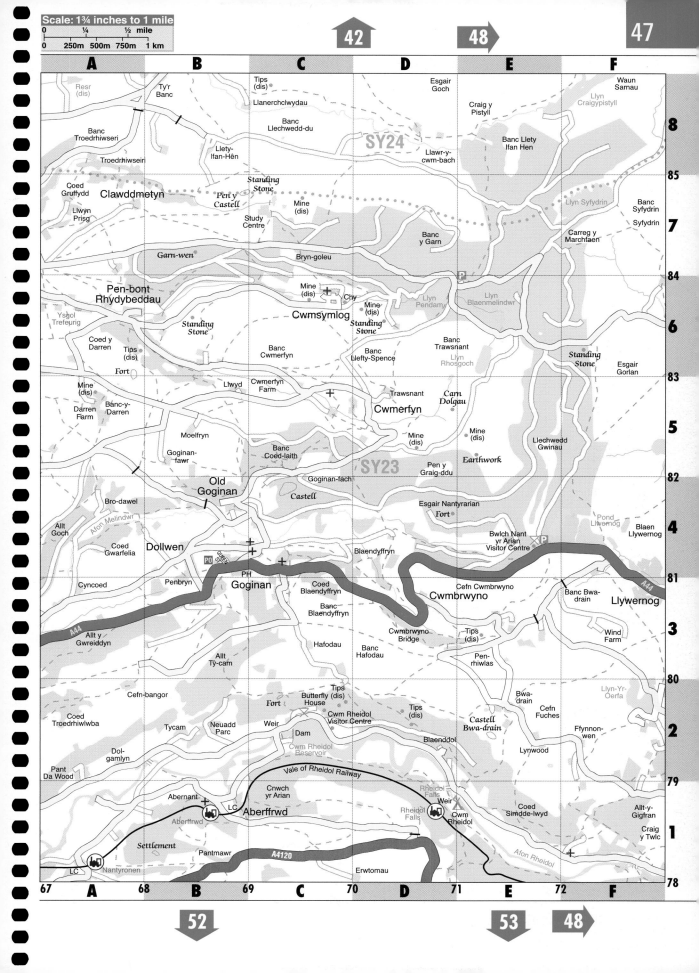

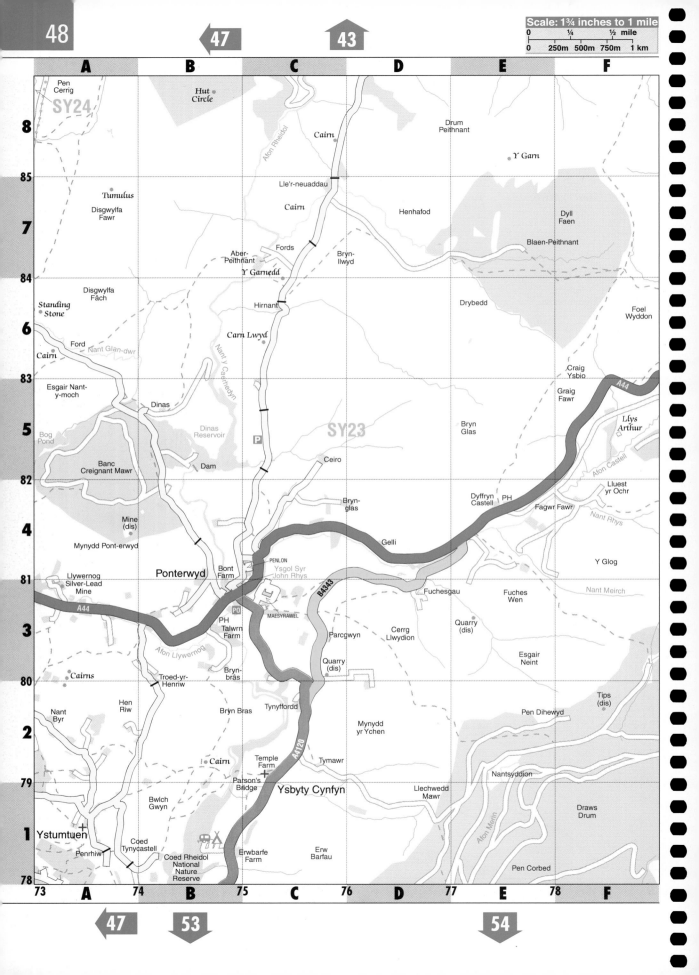

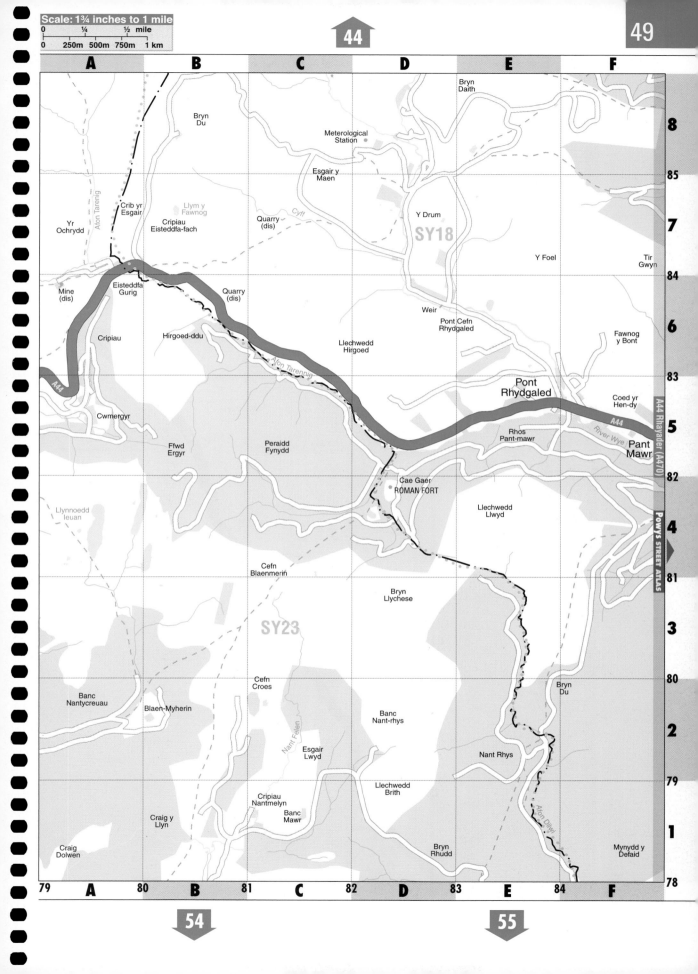

Scale: 1¾ inches to 1 mile

0   ¼   ½   mile
0 250m 500m 750m 1 km

A   B   C   D   E   F

8

85

7

84

6

83

5

82

4

81

3

80

2

79

1

78

Bryn
Daith

Meterological
Station

Esgair y
Maen

Y Drum

SY18

Y Foel

Tir
Gwyn

Bryn
Du

Crib yr
Esgair

Cripiau
Eisteddfa-fach

Llym y
Fawnog

Quarry
(dis)

Cyff

Weir

Pont Cefn
Rhydgaled

Fawnog
y Bont

Yr
Ochrydd

Afon Tarenig

Mine
(dis)

Eisteddfa
Gurig

Quarry
(dis)

Llechwedd
Hirgoed

Pont
Rhydgaled

Coed yr
Hen-dy

A44

Cripiau

Hirgoed-ddu

Afon Tarenig

Rhos
Pant-mawr

A44

A44 Rhayader (A470)

Cwmergyr

River Wye

Pant
Mawr

Ffwd
Ergyr

Peraidd
Fynydd

Cae Gaer
ROMAN FORT

Llechwedd
Llwyd

POWYS STREET ATLAS

Llynnoedd
Ieuan

Cefn
Blaenmerin

Bryn
Llychese

Banc
Nantycreuau

Blaen-Myherin

Nant Felen

Cefn
Croes

Esgair
Lwyd

Banc
Nant-rhys

SY23

Bryn
Du

Nant Rhys

Craig y
Llyn

Cripiau
Nantmelyn

Banc
Mawr

Llechwedd
Brith

Afon Dilwy

Craig
Dolwen

Bryn
Rhudd

Mynydd y
Defaid

A   B   C   D   E   F
79   80   81   82   83   84

Scale: 1¾ inches to 1 mile

0   ¼   ½ mile
0   250m 500m 750m 1 km

A   B   C   D   E   F

8

77

7

76

6

75

5

74

4

73

3

72

2

71

1

70

52   A   53   B   54   C   55   D   56   E   57   F

Morfa
Bychan

Ty'n Fron
Farm

Chancery/
Rhydgaled

Cwm-ceirw

Frondeg
Farm

Ffos-lâs

Mast

Blaenplwyf

Pentre

PO

PH

Pantyrallad

Carreglwyd

Glan-rhos

Mynachdy'r-
graig

Settlement

Cefnmelgoed

Twll Twrw
(Monk's Cave)

Berthrhys
Farm

SY23

Tŵr Gwlanod

Cairn   Pen
Glôg

Cefngraigwen
Farm

Tynbwlch

Graigwen

Afon Carrog

Penygraig

Pencwm-
Mawr

Carrog
Farm

Coed
Tancarrog

Blaencarrog

Ardgrange

Llanddeiniol

Maenelin

Tregynan

Gilfachau

Rhiwgoch

Bryngwyn

Glancarrog

Carreg Ti-pw

Quarry
(Stone)

Moelifor

Gilfachafel

Penlian

A487

Settlement

Penewm

Cwm Wyre

Tycam

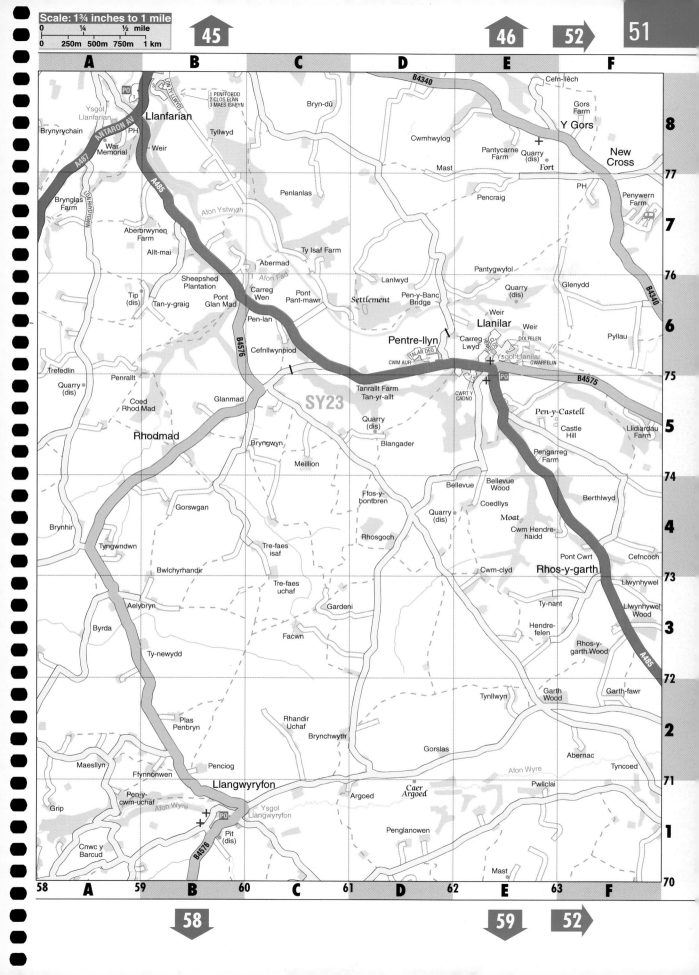

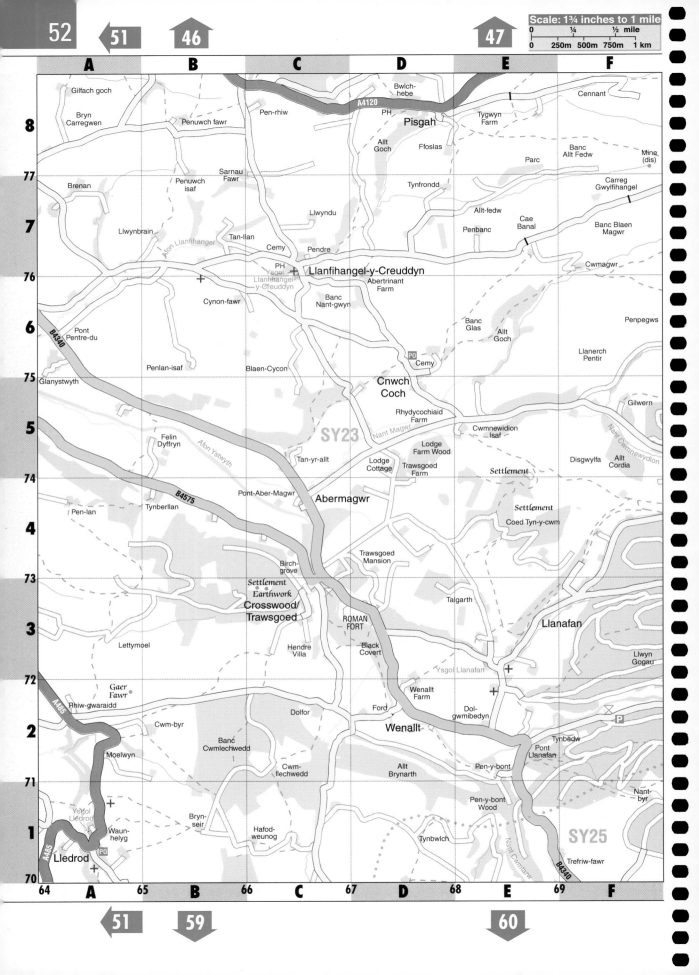

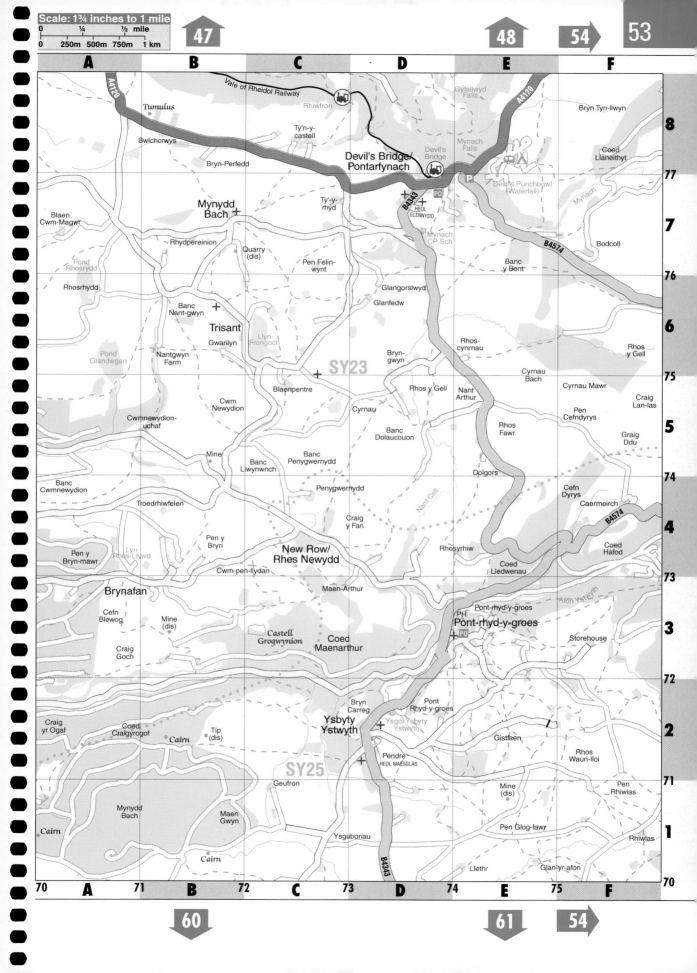

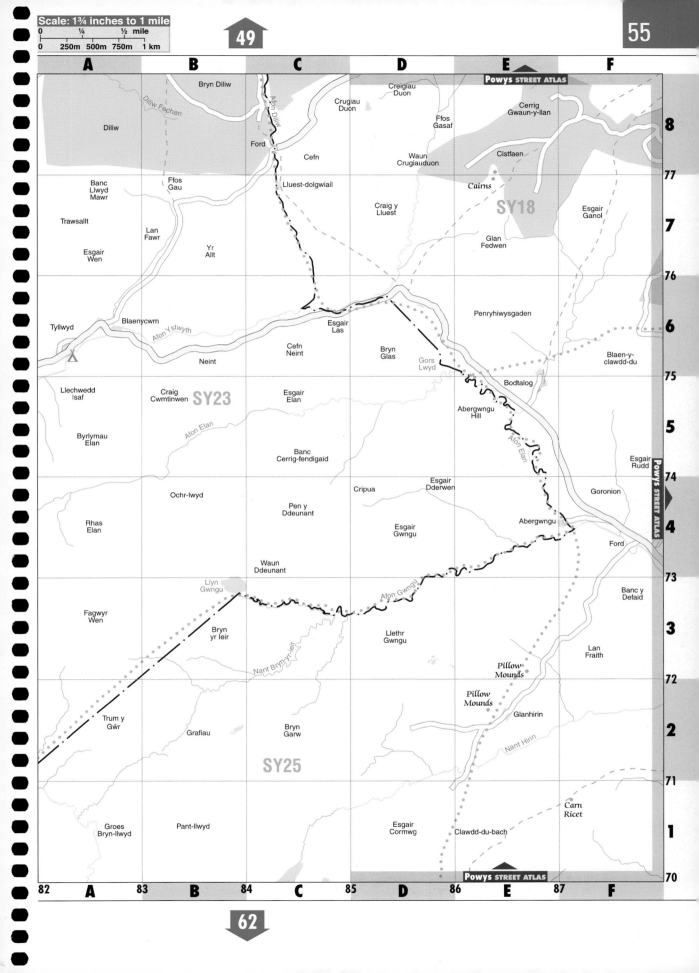

A   B   C   D   E   F

Powys STREET ATLAS

8
77
7
76
6
75
5
74
4
73
3
72
2
71
1
70

Bryn Diliw

Diliw Fechan

Diliw

Afon Diliw

Ford

Cefn

Crugiau
Duon

Creiglau
Duon

Ffos
Gasaf

Cerrig
Gwaun-y-llan

Cistfaen

Lluest-dolgwiail

Waun
Crugiauduon

Cairns

SY18

Esgair
Ganol

Banc
Llwyd
Mawr

Ffos
Gau

Trawsallt

Lan
Fawr

Yr
Allt

Craig y
Lluest

Glan
Fedwen

Esgair
Wen

Tyllwyd

Blaenycwm

Afon Ystwyth

Esgair
Las

Cefn
Neint

Penryhiwysgaden

Blaen-y-
clawdd-du

Neint

Bryn
Glas

Gors
Lwyd

Bodtalog

Llechwedd
Isaf

Craig
Cwmtinwen   SY23

Esgair
Elan

Abergwngu
Hill

Afon Elan

Esgair
Rudd

Byrlymau
Elan

Afon Elan

Banc
Cerrig-fendigaid

Goronion

Ochr-lwyd

Esgair
Dderwen

Cripua

Abergwngu

Rhas
Elan

Pen y
Ddeunant

Esgair
Gwngu

Ford

Banc y
Defaid

Waun
Ddeunant

Llyn
Gwngu

Afon Gwngu

Lan
Fraith

Fagwyr
Wen

Bryn
yr Ieir

Llethr
Gwngu

Pillow
Mounds

Nant Bryn-yr-Ieir

Pillow
Mounds

Glanhirin

Trum y
Gŵr

Grafiau

Bryn
Garw

SY25

Nant Hirin

Carn
Ricet

Groes
Bryn-llwyd

Pant-llwyd

Esgair
Cormwg

Clawdd-du-bach

Powys STREET ATLAS

Powys STREET ATLAS

82   A   83   B   84   C   85   D   86   E   87   F

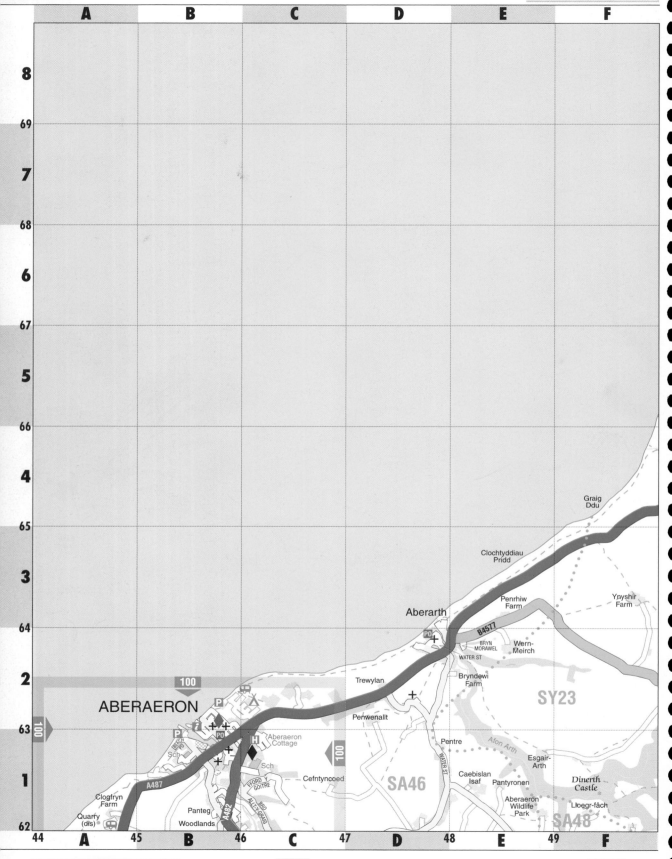

For full street detail of the
highlighted area see page 100.

65

66

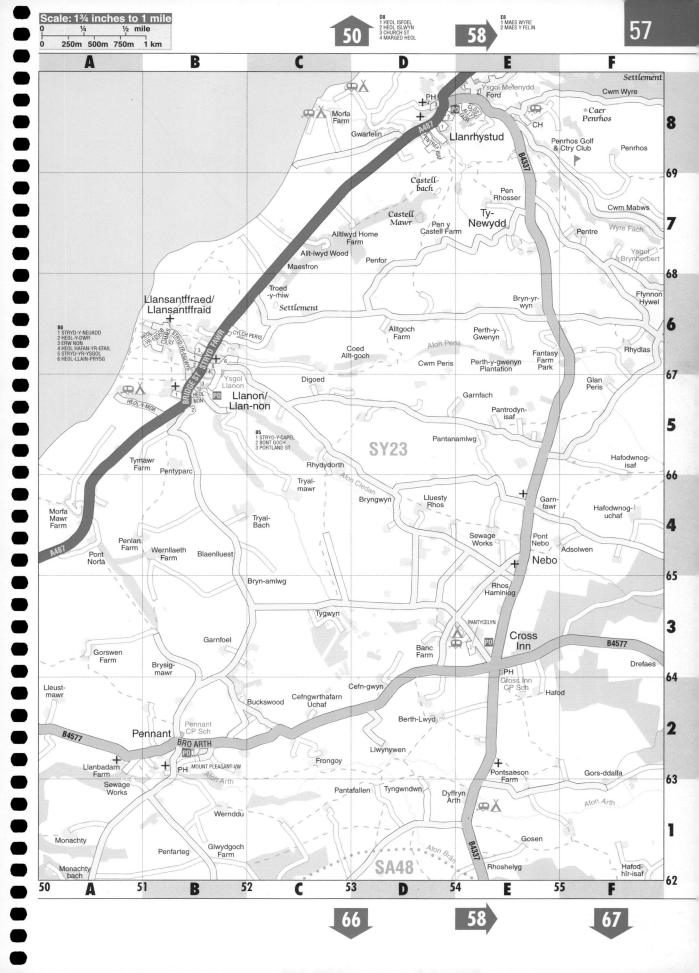

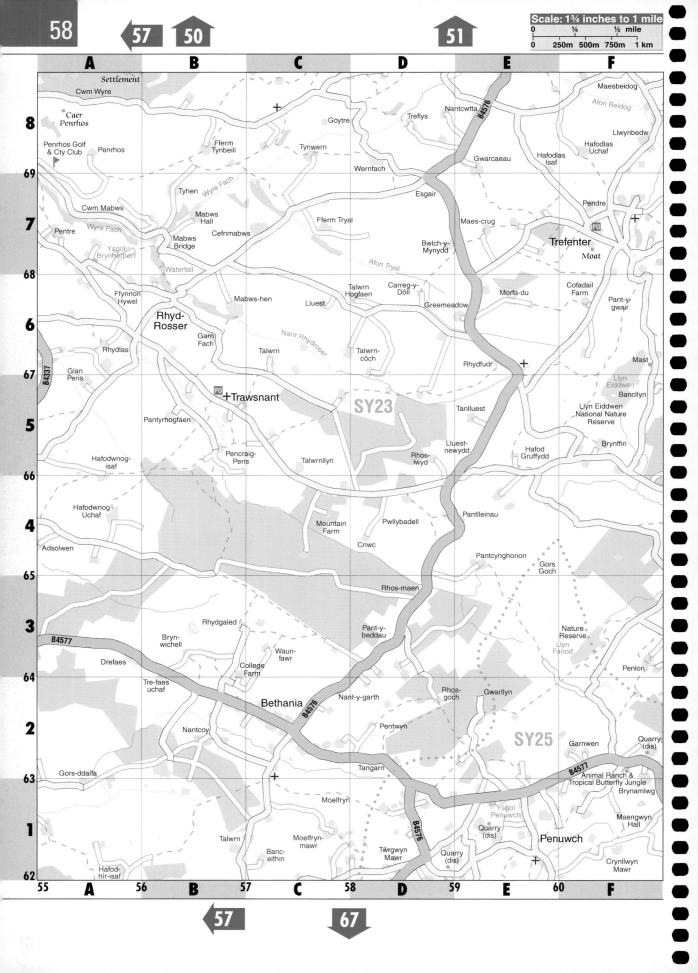

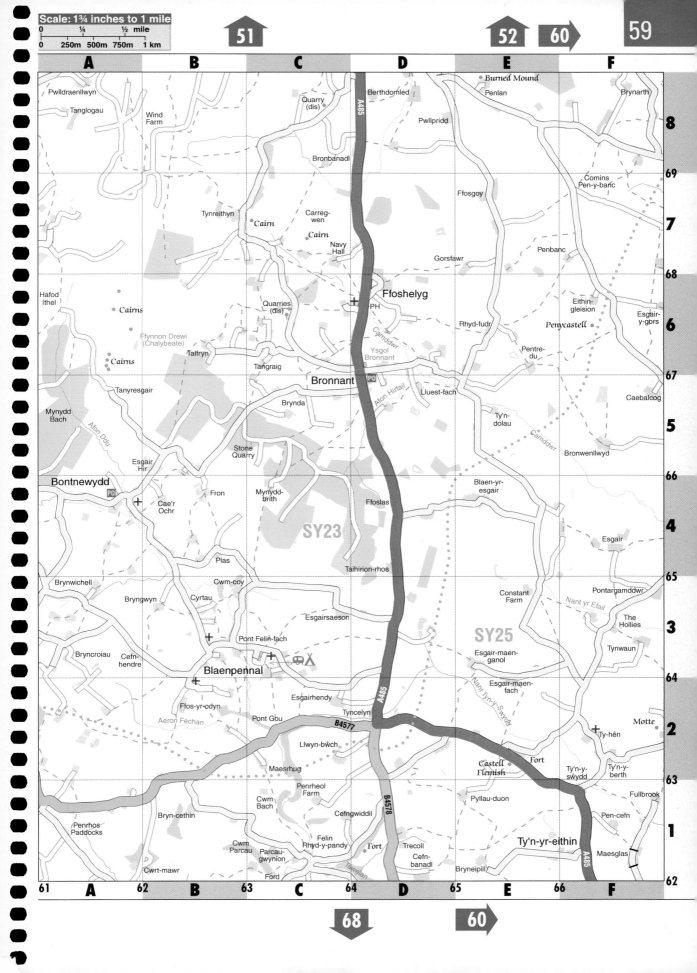

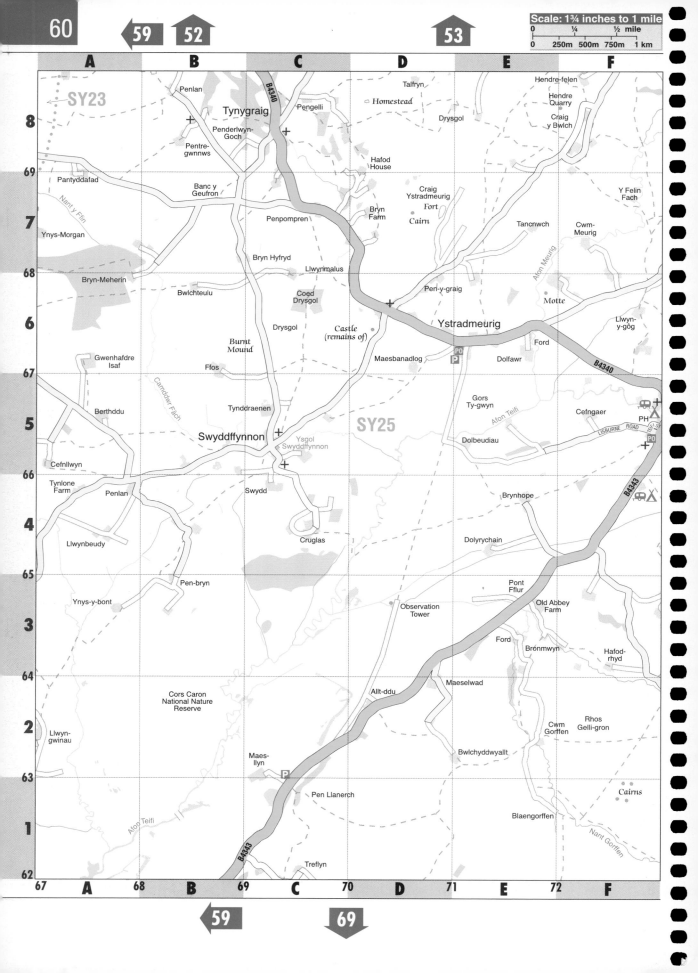

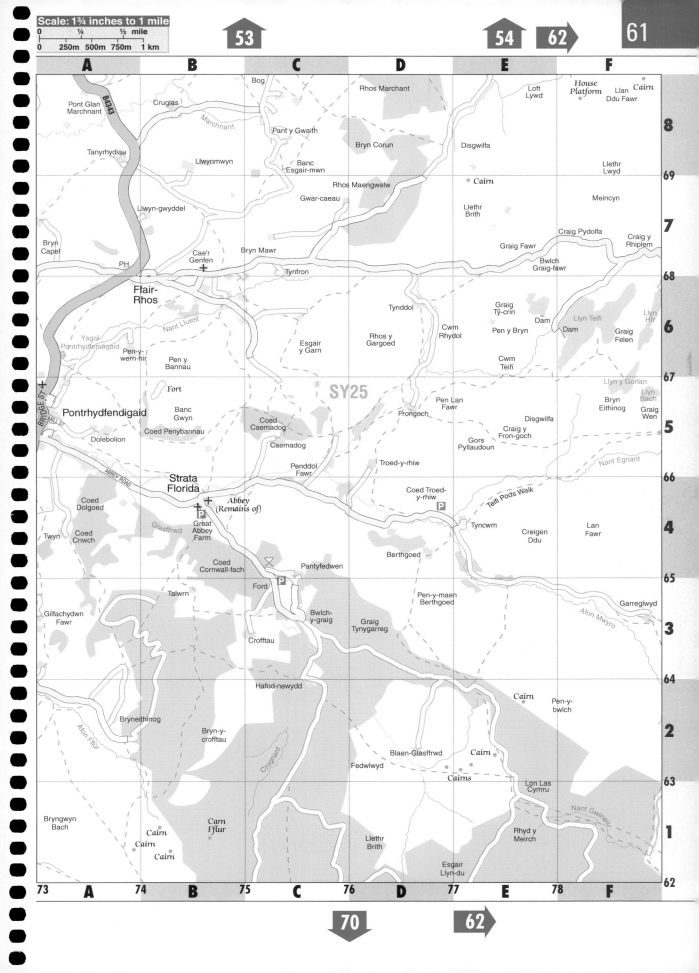

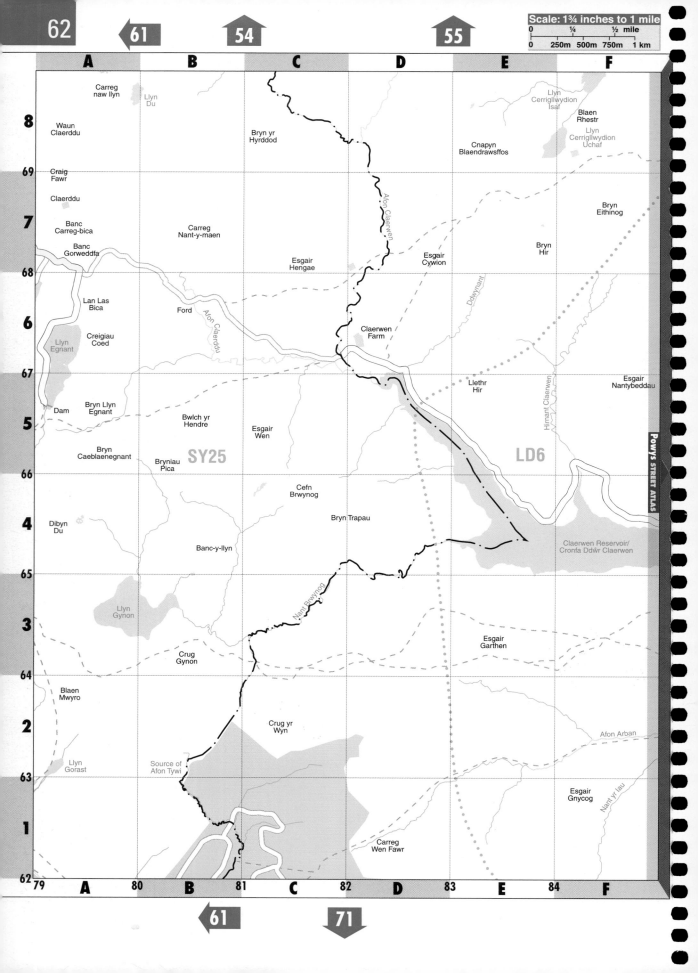

A   B   C   D   E   F

8
Carreg naw llyn
Llyn Du
Bryn yr Hyrddod
Llyn Cerrigllwydion Isaf
Blaen Rhestr
Waun Claerddu
Cnapyn Blaendrawsffos
Llyn Cerrigllwydion Uchaf

69
Craig Fawr
Claerddu

Bryn Eithinog

7
Banc Carreg-bica
Carreg Nant-y-maen
Bryn Hir
Banc Gorweddfa
Esgair Hengae
Esgair Cywion

68
Lan Las Bica
Ford
Afon Claerddu

6
Creigiau Coed
Claerwen Farm
Ddwynant

Llyn Egnant

67
Dam
Llethr Hir
Esgair Nantybeddau
Bryn Llyn Egnant

5
Bwlch yr Hendre
Esgair Wen
Himant Claerwen
Bryn Caeblaenegnant
SY25
LD6
Bryniau Pica

66
Cefn Brwynog

4
Dibyn Du
Bryn Trapau
Banc-y-llyn
Claerwen Reservoir/ Cronfa Ddŵr Claerwen

65

3
Llyn Gynon
Nant Brwynog
Esgair Garthen
Crug Gynon

64
Blaen Mwyro

2
Crug yr Wyn
Afon Arban
Llyn Gorast

63
Source of Afon Tywi
Esgair Gnycog
Nant yr Iau

1
Carreg Wen Fawr

62
79   A   80   B   81   C   82   D   83   E   84   F

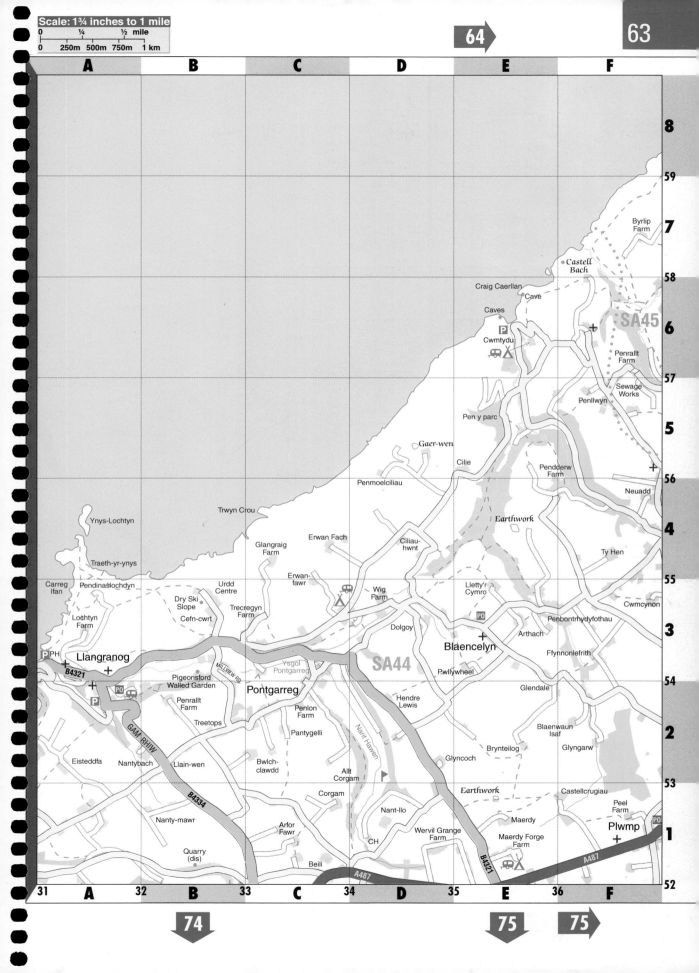

A B C D E F

8

59

Byrlip
Farm

7

● Castell
Bach

58

Craig Caerllan
Cave ●

Caves

SA45 6

P
Cwmtydu

Penrallt
Farm

57

Pen y parc

Sewage
Works

Penllwyn

5

● Gaer-wen

Cilie

Pendderw
Farm

56

Penmoelciliau

Neuadd

Trwyn Crou

Earthwork

4

Ynys-Lochtyn

Glangraig
Farm

Erwan Fach

Ciliau-
hwnt

Ty Hen

55

Traeth-yr-ynys

Erwan-
fawr

Wig
Farm

Lletty'r
Cymro

Cwmcynon

Carreg
Ifan

Pendinaslochdyn

Urdd
Centre

Dry Ski
Slope

Trecregyn
Farm

Penbontrhydyfothau

3

Lochtyn
Farm

Cefn-cwrt

Dolgoy

SA44

Arthach

PO

P PH

Llangranog

Ysgol
Pontgarreg

Blaencelyn

Ffynnonlefrith

54

B4321

PO

MILLVIEW RD.

Pigeonsford
Walled Garden

Pontgarreg

Pwllywheel

Glendale

Penrallt
Farm

Hendre
Lewis

2

P

Penlon
Farm

Blaenwaun
Isaf

Glyngarw

GARN RHIW

Treetops

Pantygelli

Brynteilog

Eisteddfa

Nantybach

Llain-wen

Glyncoch

Bwlch-
clawdd

Nant Hawen

Earthwork

Castellcrugiau

53

B4334

Corgam

Allt
Corgam

Maerdy

Peel
Farm

Nant-llo

Plwmp

PO

Nanty-mawr

Arfor
Fawr

Wervil Grange
Farm

Maerdy Forge
Farm

1

Quarry
(dis)

CH

B4321

A487

Beili

A487

52

31 A 32 B 33 C 34 D 35 E 36 F

Scale: 1¾ inches to 1 mile

0 ¼ ½ mile
0 250m 500m 750m 1 km

A B C D E F

8

61

7

101

Carreg Walltog
New Quay Head
NEW QUAY/ CEINEWYDD

Birds Rock

60

Craig Ddu
Cwm Buwch
Allt Cernant

P
Church St
Church Rd
PH
Penrhyn Farm

6

Cave
New Quay Bay
Little Quay Bay
Oernant
Penlanymor

Traeth y Coubal
Cemy
Towyn Farm
Liby
Sch
B4342
P
Sewage Works
Water Tower
Cei-bach
Blaen Bedw
Llain Activity Centre

Craig Coubal
Ty-rhôs
Penrhiw Pistyll

59

Coybal
101
Panteg
HENYELL UCHAF
Gilfachreda
Llaingarreglwyd
Blaenddol
Castell-y-geifr
Llain

Llwynwermod
Maen-y-groes
Cilgynlle
Bwlch Cefn Farm
BRO GIDO
Chalet Park
Nature Reserve
Allt Castellgeifr

5

Rhydyferwig
Allt Cefn Gwyddyl
SA47

58

SA45
Cilwendeg
Cefn Coed Ganol
Aton Gido
Llanarth

Pottre
Penfoel
Penllwybr

F4
1 MARTHA CAE
2 HEOL Y BONT
3 SWIN-Y-LLETH
4 MAES DAFYDD
5 PINE GR
6 ALLT Y BRYN

4

Brynonnen
Cross Inn
PO
LON RHYDALEN
Sch
Sewage Works
Motygido
Cefn Esgeronen
Tegfan
B4342
ALMA ST
CHAPEL ST
Ysgol Llanarth
Fron-wen
Penwern

Nantpelau
101
Pensarnau

57

Pont Nanternis
Nanternis
Nanternis Farm
Allt Nantypelau
Cyffionos
Pantyclynhir
Goitre
Blaenwern
Coed Blaen-wern

3

Pant Derw
PENRHIWSALED LANE
New Quay Honey Farm
Fron-goch
Berthlwyd
Blaenwern

Caerwedros
56
Ford

Motte
CAER HENWAS
Drefach Farm
Blaen-delings
Gelli-isaf
Gofynach
Ford
Nantmeddal Fawr Farm

PH
Ysgol Caerwedros
Trawsnant
Gwendaf
Llwynwernau

2

Llwyndafydd
SA44
LON Y FELIN

Hafodiwan
55

Cemy
Synod Mill
Rhyd-y-Beillen
Rhydfechan
Rhydeinon

1

Afon Ffynnon-Ddewi
HEOL-Y-BRYN
Synod Inn/ Post-Mawr
Moel Rhydeinon

Afon Soden
PH
Bannau Duon

54

Blaen-tir
Goyffos Farm
A487
A486
B4338

37 A 38 B 39 C 40 D 41 E 42 F

For full street detail of the highlighted area see page 101.

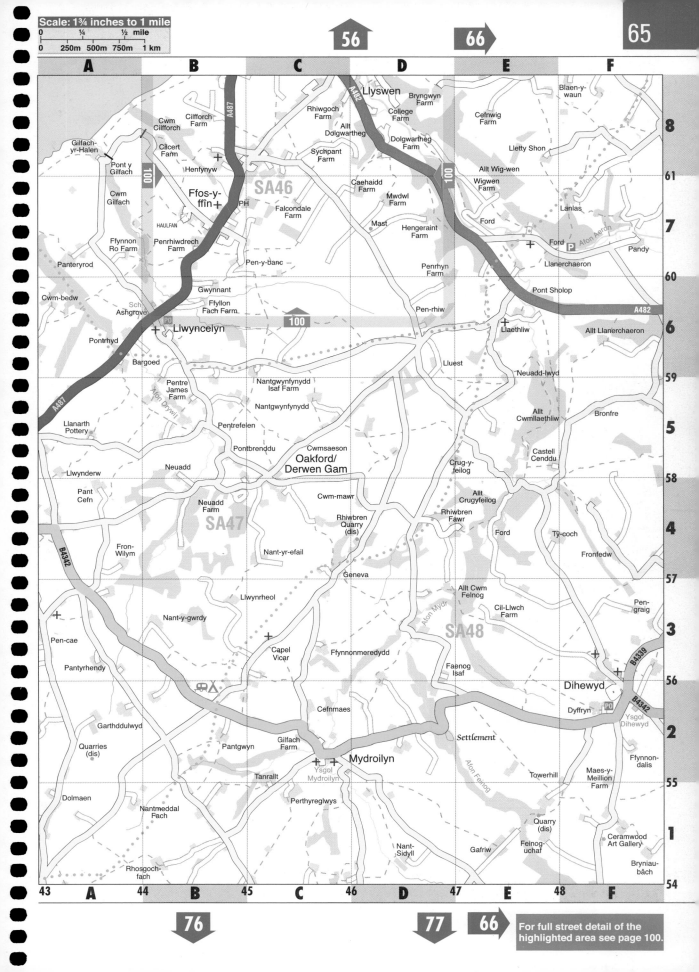

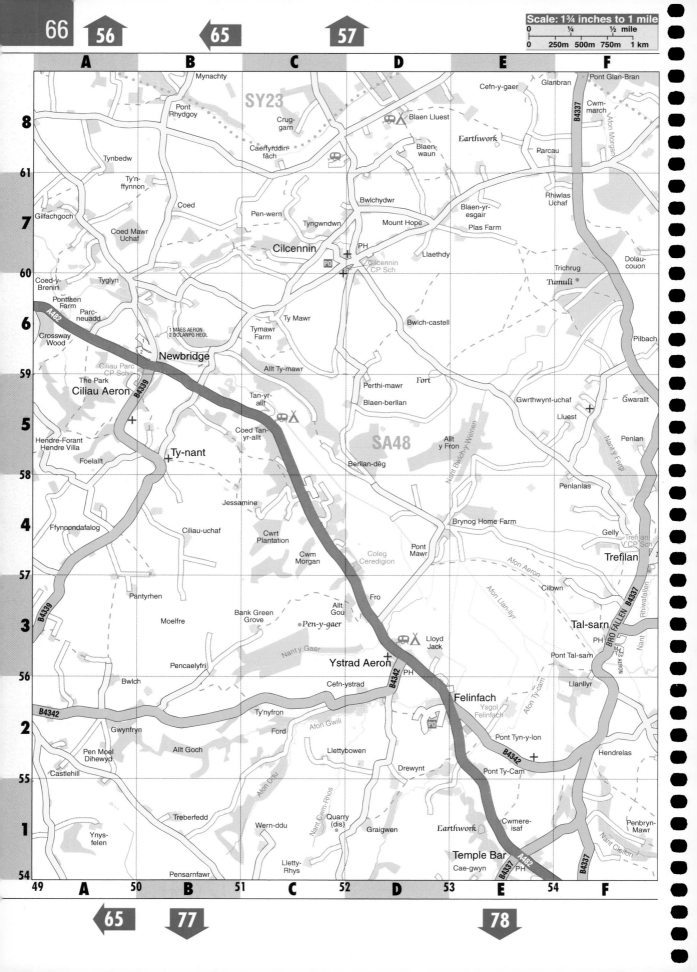

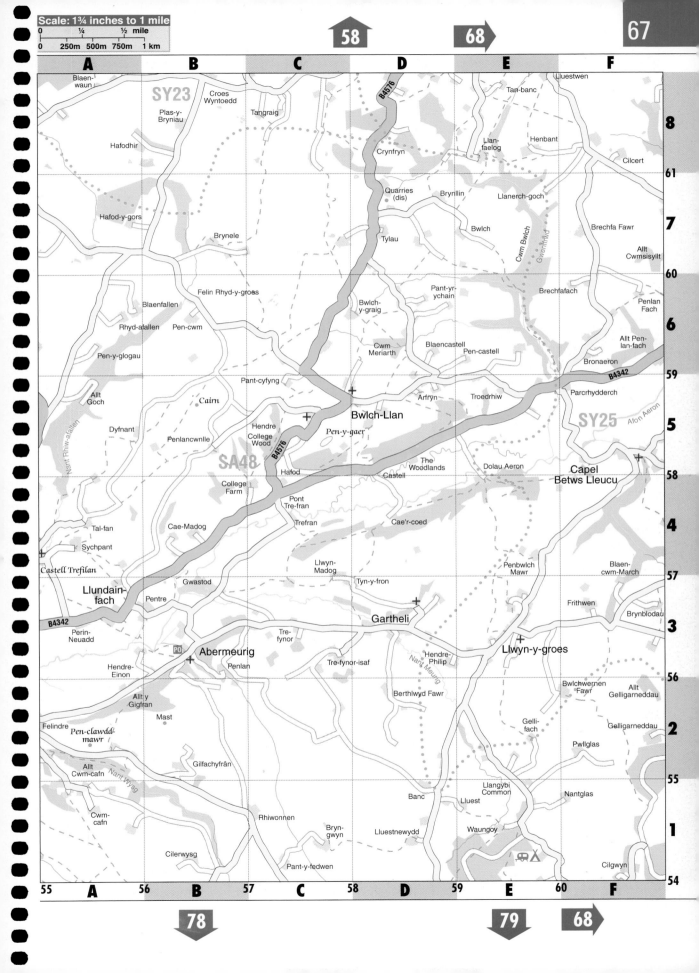

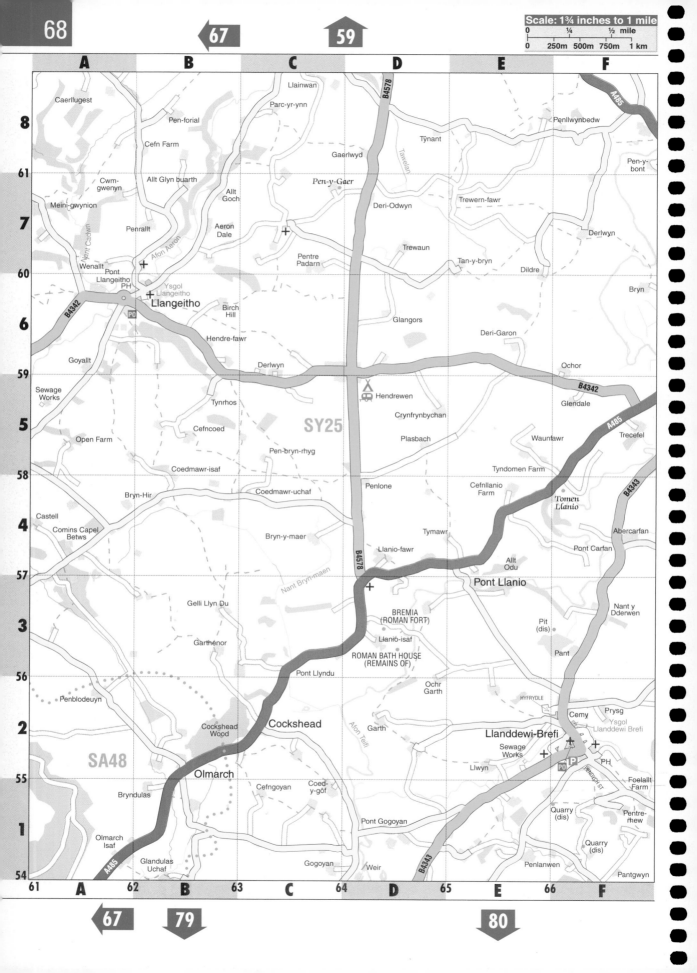

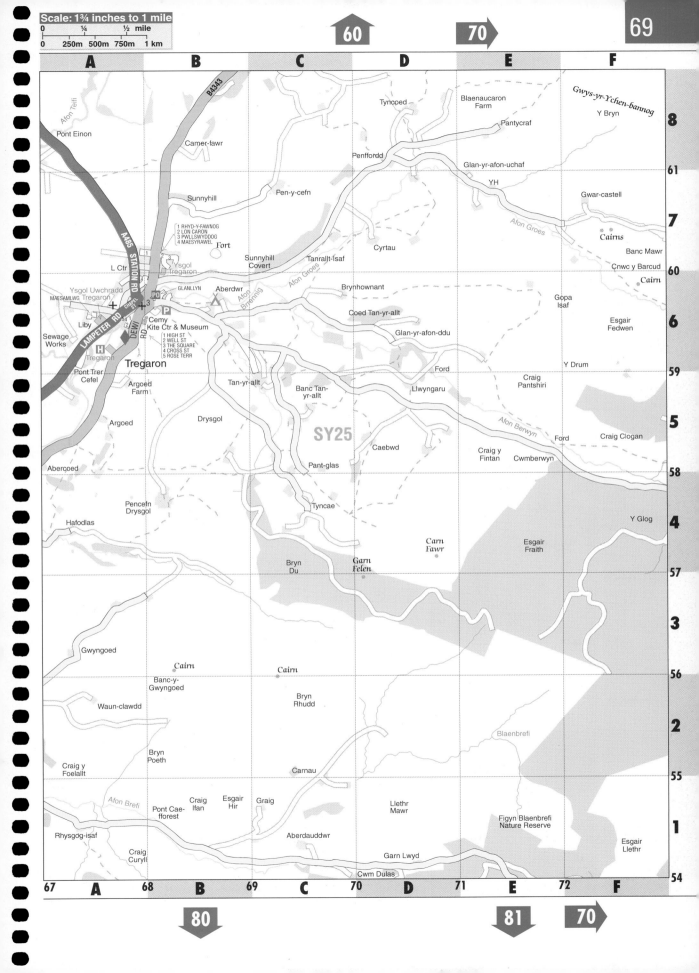

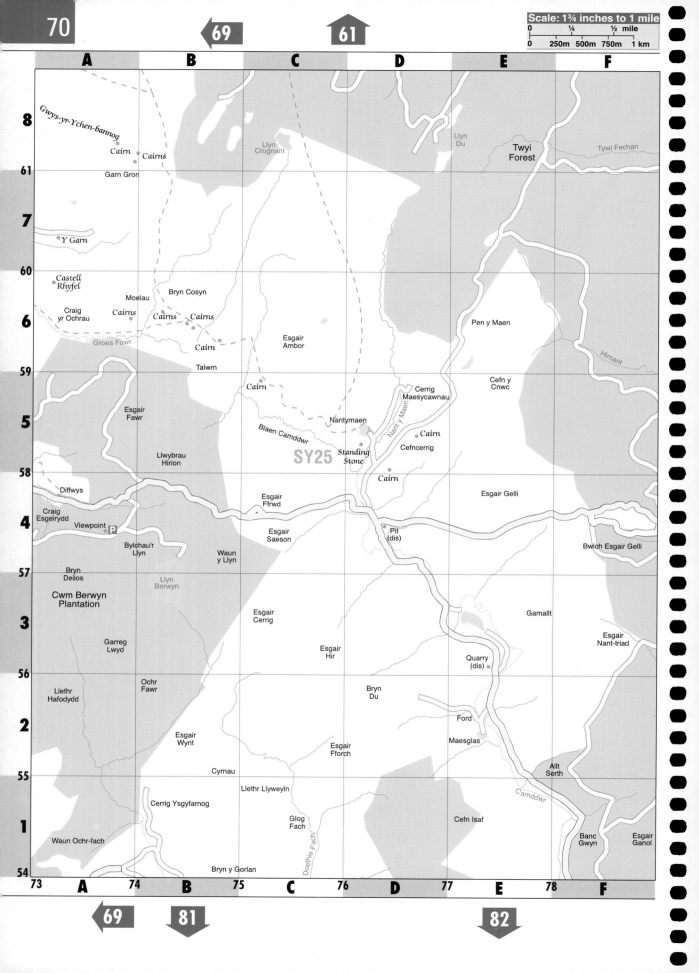

Scale: 1¾ inches to 1 mile

0 ¼ ½ mile
0 250m 500m 750m 1 km

8

Gwys-yr-Ychen-bannog
Cairn
Cairns
Garn Gron

Llyn Crugnant

Llyn Du

Twyi Forest

Tywi Fechan

61

7

Y Garn

60

Castell Rhyfel

Bryn Cosyn

Moelau

Craig yr Ochrau

Cairns

Cairns

Cairns

Esgair Ambor

Pen y Maen

Hirnant

6

Groes Fawr

Cairn

Talwrn

Cefn y Cnwc

59

Cairn

Cerrig Maesycawnau

5

Esgair Fawr

Blaen Camddwr

Nantymaen

Nant y Maen

Cairn

Cefncerrig

Llwybrau Hirion

SY25

Standing Stone

58

Diffwys

Esgair Ffrwd

Cairn

Esgair Gelli

4

Craig Esgeirydd

Viewpoint
P

Bylchau'r Llyn

Esgair Saeson

Waun y Llyn

Pit (dis)

Bwlch Esgair Gelli

57

Bryn Deilos

Llyn Berwyn

Cwm Berwyn Plantation

Esgair Cerrig

Gamallt

Esgair Nant-triad

3

Garreg Lwyd

Esgair Hir

Quarry (dis)

56

Llethr Hafodydd

Ochr Fawr

Bryn Du

Ford

2

Esgair Wynt

Esgair Fforch

Maesglas

Allt Serth

Cyrnau

55

Cerrig Ysgyfarnog

Llethr Llyweyln

Camddwr

1

Waun Ochr-fach

Glog Fach

Cefn Isaf

Banc Gwyn

Esgair Ganol

Doethie Fach

54

Bryn y Gorlan

73 **A** 74 **B** 75 **C** 76 **D** 77 **E** 78 **F**

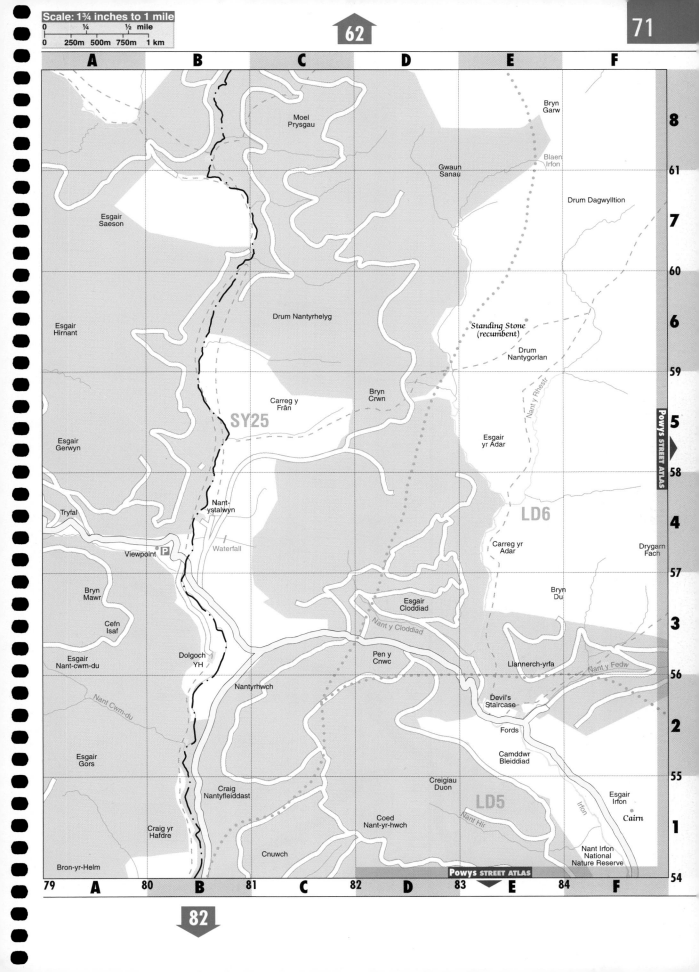

62

Scale: 1¾ inches to 1 mile

0   ¼   ½   mile
0   250m   500m   750m   1 km

A **B** **C** **D** **E** **F**

8
61
7
60
6
59
5
58
4
57
3
56
2
55
1
54

Powys STREET ATLAS

Bryn Garw

Blaen Irfon

Moel Prysgau

Gwaun Sanau

Drum Dagwylltion

Esgair Saeson

Drum Nantyrhelyg

Standing Stone (recumbent)

Drum Nantygorlan

Esgair Hirnant

Carreg y Frân

Bryn Crwn

SY25

Nant y Rhesr

Esgair Gerwyn

Esgair yr Adar

LD6

Tryfal

Nant-ystalwyn

Carreg yr Adar

Drygarn Fach

Viewpoint P

Waterfall

Bryn Du

Bryn Mawr

Esgair Cloddiad

Nant y Cloddiad

Llannerch-yrfa

Nant y Fedw

Cefn Isaf

Dolgoch YH

Pen y Cnwc

Esgair Nant-cwm-du

Nantyrhwch

Devil's Staircase

Nant Cwm-du

Fords

Camddwr Bleiddiad

Esgair Gors

Creigiau Duon

LD5

Esgair Irfon

Irfon

Cairn

Craig Nantyfleiddast

Nant Hir

Craig yr Hafdre

Coed Nant-yr-hwch

Cnuwch

Nant Irfon National Nature Reserve

Bron-yr-Helm

79 **A** 80 **B** 81 **C** 82 **D** 83 **E** 84 **F**

82

Scale: 1¾ inches to 1 mile

0   ¼   ½ mile
0 250m 500m 750m 1 km

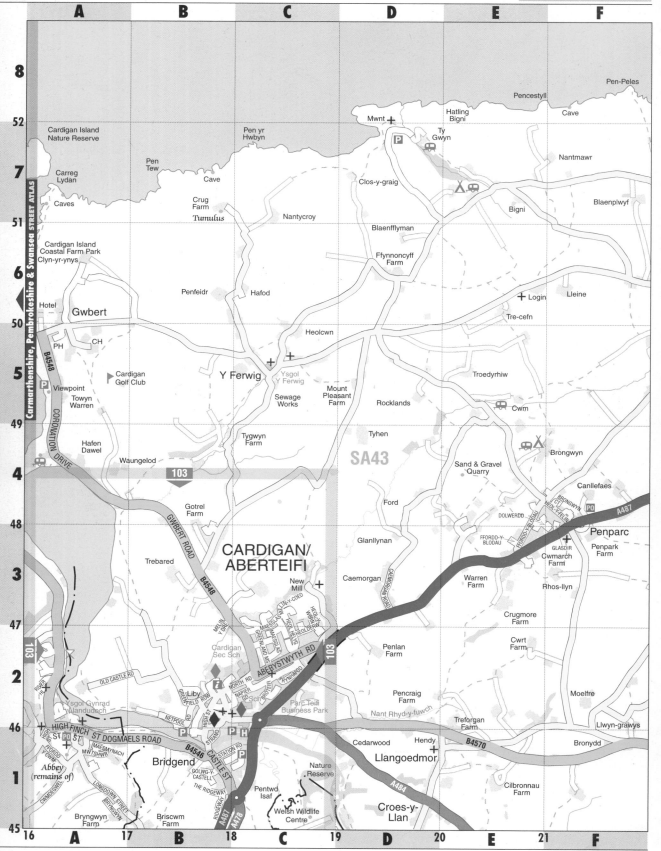

Carmarthenshire, Pembrokeshire & Swansea STREET ATLAS

Cardigan Island Nature Reserve

Pen-Peles

Pencestyll

Cave

Mwnt

Hatling Bigni

Ty Gwyn

Carreg Lydan

Pen Tew

Cave

Caves

Crug Farm

Tumulus

Nantycroy

Clos-y-graig

Bigni

Nantmawr

Blaenplwyf

Cardigan Island Coastal Farm Park Clyn-yr-ynys

Blaenfflyman

Ffynnoncyff Farm

Login

Lleine

Penfeidr

Hafod

Tre-cefn

Hotel

Gwbert

Heolcwn

PH

CH

Y Ferwig

Ysgol Y Ferwig

Troedyrhiw

Viewpoint

Cardigan Golf Club

Sewage Works

Mount Pleasant Farm

Rocklands

Cwm

Towyn Warren

Hafen Dawel

Waungelod

Tygwyn Farm

Tyhen

SA43

Sand & Gravel Quarry

Brongwyn

103

Gotrel Farm

Ford

Canllefaes

Glanllynan

DOLWERDD

BRONGWYN

HEOL-Y-FELIN

PO

A487

Trebared

CARDIGAN ABERTEIFI

FFORDD-Y-BLODAU

Penparc

GLASDIR

Penpark Farm

New Mill

Caemorgan

Warren Farm

Cwmarch Farm

Rhos-llyn

103

Cardigan Sec Sch

ABERYSTWYTH RD

Crugmore Farm

Cwrt Farm

Penlan Farm

Liby

Pencraig Farm

Treforgan Farm

Moelfre

Ysgol Gynrad Llandudoch

NETPOOL

Parc Teifi Business Park

Nant Rhyd-y-fuwch

Llwyn-grawys

HIGH FINCH ST

ST DOGMAELS ROAD

Cedarwood

Hendy

B4570

Bronydd

Bridgend

GOLWG-Y-CASTELL

Welsh Wildlife Centre

Llangoedmor

Cilbronnau Farm

Abbey (remains of)

Pentwd Isaf

Nature Reserve

Croes-y-Llan

A484

Bryngwyn Farm

Briscwm Farm

THE RIDGEWAY

A487 A478

For full street detail of the highlighted area see page 103.

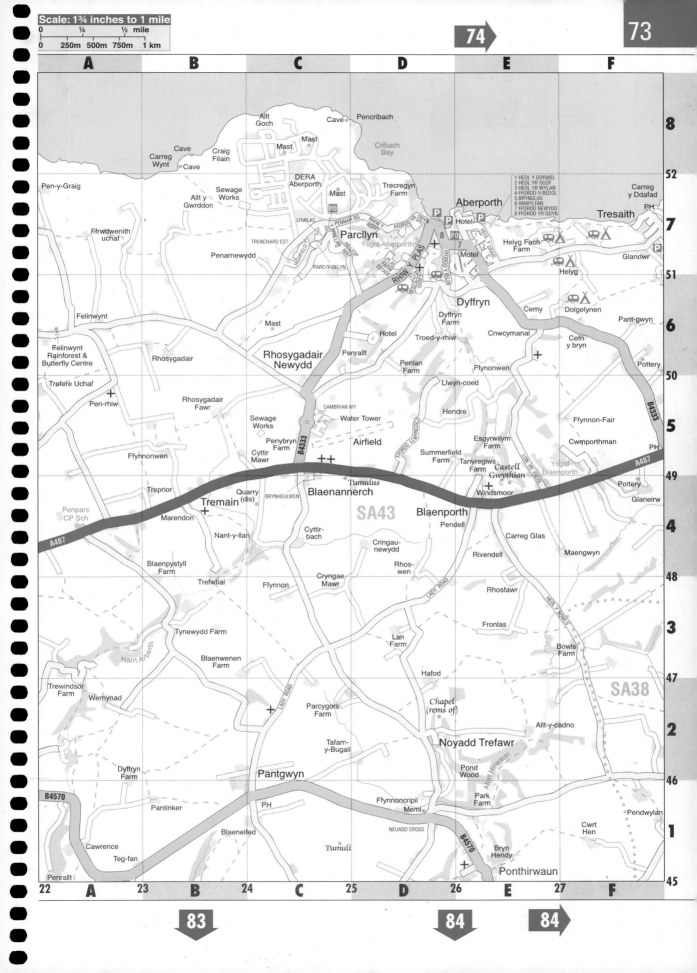

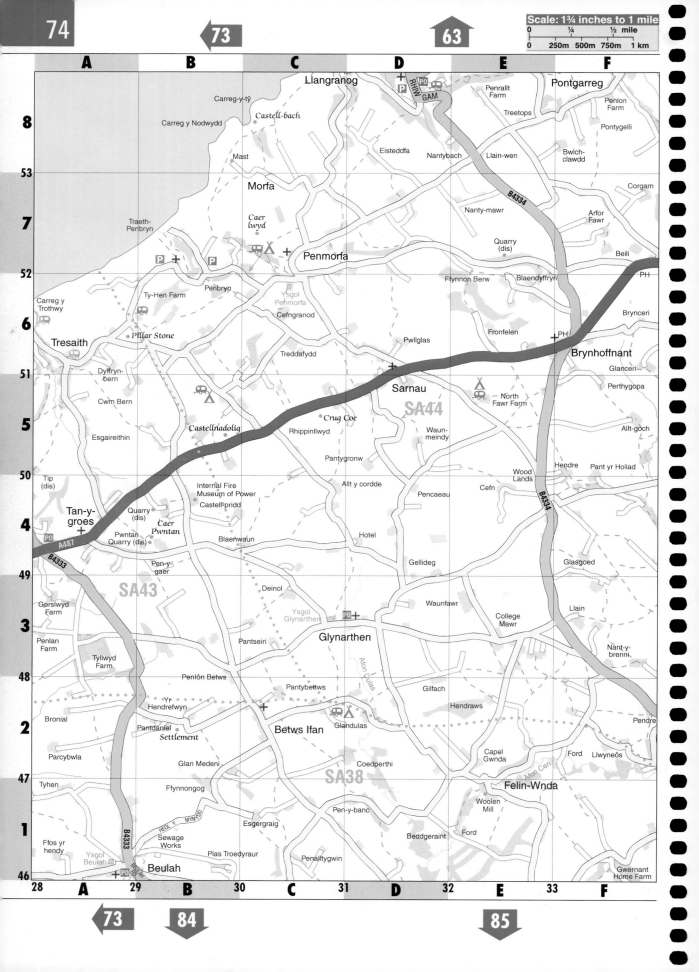

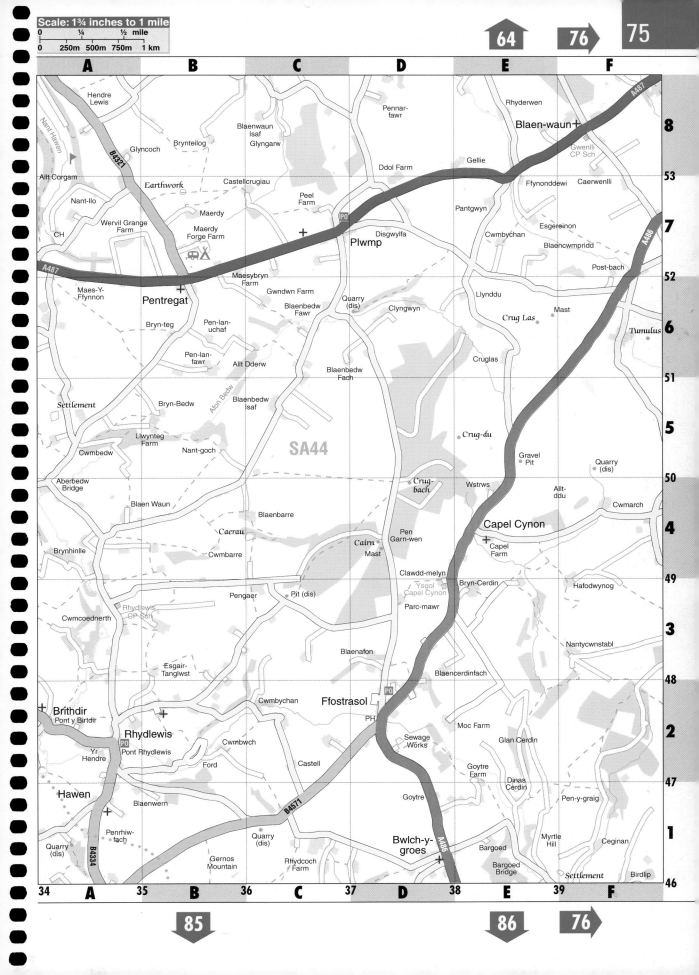

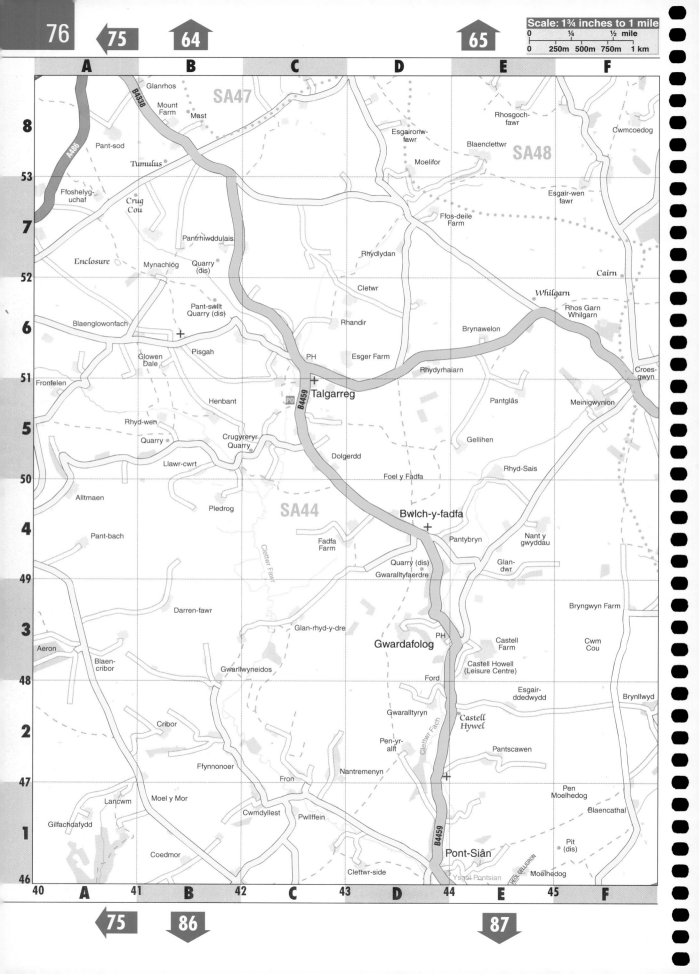

A B C D E F

8

53

7

52

6

51

5

50

4

49

3

48

2

47

1

46

A485
B4338
Glanrhos
SA47
Mount Farm
Mast
Pant-sod
Tumulus
Ffoshelyg-uchaf
Crug Cou
Panrhiwddulais
Enclosure
Mynachlog
Quarry (dis)
Pant-swllt Quarry (dis)
Blaenglowonfach
Glowen Dale
Pisgah
Fronfelen
Rhyd-wen
Quarry
Henbant
PO
B4459
Talgarreg
Crugyreryr Quarry
PH
Llawr-cwrt
Alltmaen
Pledrog
Pant-bach
Darren-fawr
Cletwr Fawr
SA44
Fadfa Farm
Dolgerdd
Foel y Fadfa
Bwlch-y-fadfa
Quarry (dis)
Gwaralltyfaerdre
Glan-rhyd-y-dre
Aeron
Blaen-cribor
Gwarllwyneidos
Cribor
Ffynnonoer
Fron
Moel y Mor
Lancwm
Gilfachdafydd
Cwmdyllest
Pwllffein
Coedmor
Clettwr-side
Ysgol Pontsian
HEOL GELLIGRON
Pont-Siân
B4459
Moelhedog
Pit (dis)
Pen Moelhedog
Blaencathal
Pantscawen
Castell Hywel
Clettwr Fach
Gwaralltyryn
Pen-yr-allt
Nantremenyn
Esgair-ddedwydd
Brynllwyd
Castell Howell (Leisure Centre)
Castell Farm
Cwm Cou
Bryngwyn Farm
Ford
Gwardafolog
PH
Glan-dwr
Nant y gwyddau
Pantybryn
Rhyd-Sais
Gellihen
Pantglâs
Meinigwynion
Croes-gwyn
Rhos Garn Whilgarn
Whilgarn
Pantybryn
Rhydyrhaiarn
Brynawelon
Esger Farm
Rhandir
Cletwr
Rhydlydan
Ffos-deile Farm
Esgair-wen fawr
Cairn
Moelifor
Esgaironiw-fawr
Blaenclettwr
Rhosgoch-fawr
Cwmcoedog
SA48

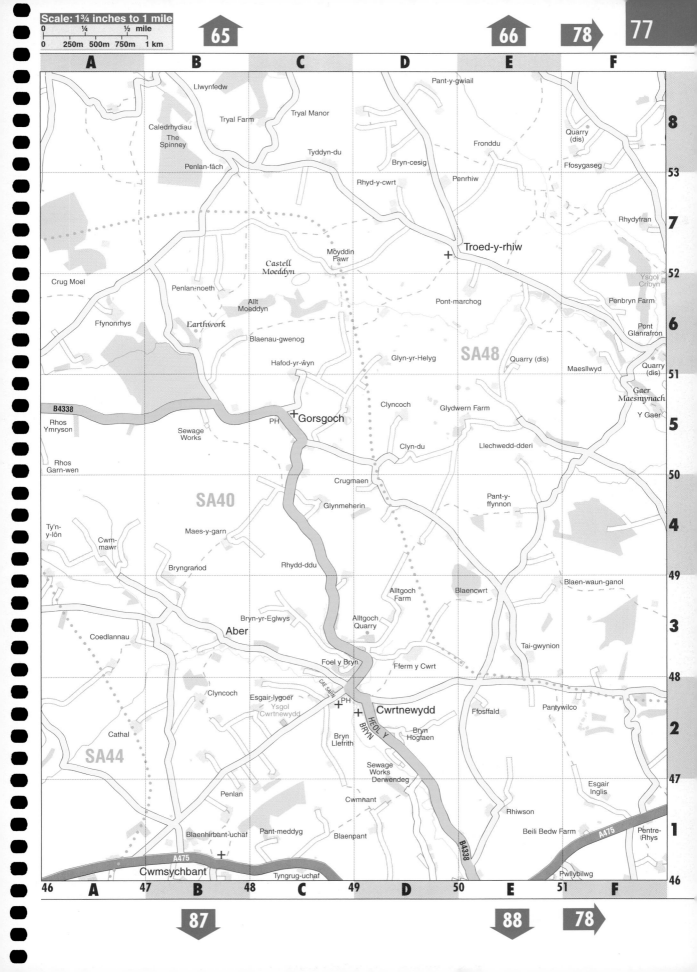

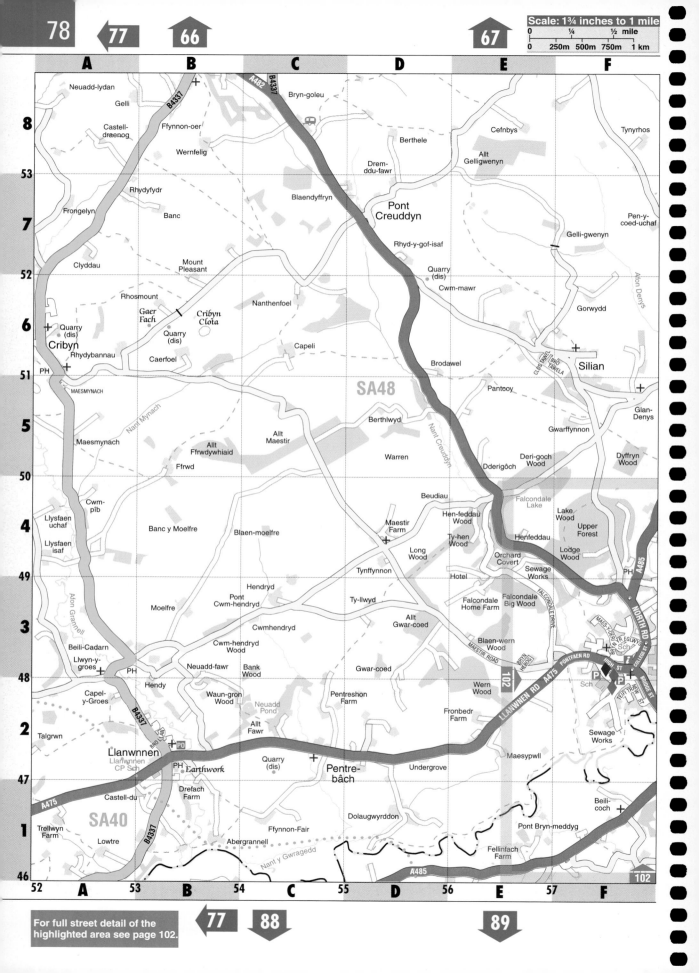

A B C D E F

8
53
7
52
6
51
5
50
4
49
3
48
2
47
1
46

52 A 53 B 54 C 55 D 56 E 57 F

Neuadd-lydan
Gelli
Castell-draenog
Frongelyn
Clyddau
Rhydyfydr
Banc
Mount Pleasant
Rhosmount
Gaer Fach
Cribyn Clota
Cribyn
Quarry (dis)
Rhydybannau
Caerfoel
Quarry (dis)
PH
MAESMYNACH
Nant Mynach
Maesmynach
Allt Ffrwdywhiaid
Ffrwd
Cwm-pîb
Llysfaen uchaf
Llysfaen isaf
Banc y Moelfre
Blaen-moelfre
Allt Maestir
Berthlwyd
Warren
Aton Grannell
Beili-Cadarn
Llwyn-y-groes
PH
Hendy
Moelfre
Cwm-hendryd Wood
Neuadd-fawr
Cwmhendryd
Pont Cwm-hendryd
Hendryd
Bank Wood
Waun-gron Wood
Neuadd Pond
Allt Fawr
Talgrwn
Capel-y-Groes
B4337
BRO LAN
PO
Llanwnnen
Llanwnnen CP Sch
PH
Earthwork
Drefach Farm
Quarry (dis)
Pentre-bâch
Castell-du
SA40
Trellwyn Farm
Lowtre
Ffynnon-Fair
Abergrannell
Nant y Gwragedd
A485
A475
B4337
Ffynnon-oer
Wernfelig
Blaendyffryn
Bryn-goleu
Berthele
Drem-ddu-fawr
Pont Creuddyn
Rhyd-y-gof-isaf
Quarry (dis)
Cwm-mawr
Nanthenfoel
Capeli
Brodawel
SA48
Nant Creuddyn
Tynffynnon
Ty-llwyd
Allt Gwar-coed
Gwar-coed
Pentreshon Farm
Undergrove
Dolaugwyrddon
Maestir Farm
Long Wood
Beudiau
Hen-feddau Wood
Ty-hen Wood
Henfeddau
Hotel
Orchard Covert
Sewage Works
Falcondale Home Farm
Falcondale Big Wood
Blaen-wern Wood
Wern Wood
Fronbedr Farm
Maesypwll
Cefnbys
Allt Gelligwenyn
Gelli-gwenyn
Gorwydd
Pantooy
Dderigôch
Deri-goch Wood
Gwarffynnon
Falcondale Lake
Lake Wood
Upper Forest
Lodge Wood
PH
A485
Tynyrhos
Pen-y-coed-uchaf
Aton Denys
CLOS TAWEL
BRO TAWELA
Silian
Glan-Denys
Dyffryn Wood
MAESTIR ROAD
BRYN HEDDU
102
LLANWNEN RD
A475
PONTFAEN RD
MAES-Y-DERI
YR EGLWYS
Sch
COLLEGE ST
HIGH ST
P P
Sch
TEIFI TER
BRIDGE ST
NEW ST
NORTH RD
A485
FALCONDALE DRIVE
Sewage Works
Pont Bryn-meddyg
Beili-coch
Fellinfach Farm
102

For full street detail of the highlighted area see page 102.

77 88 89

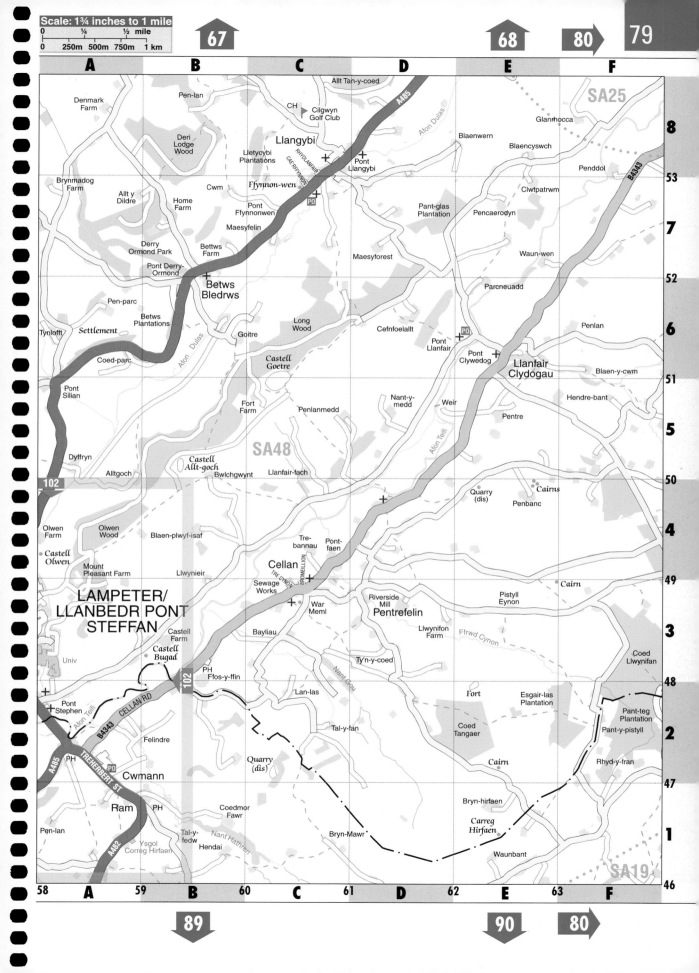

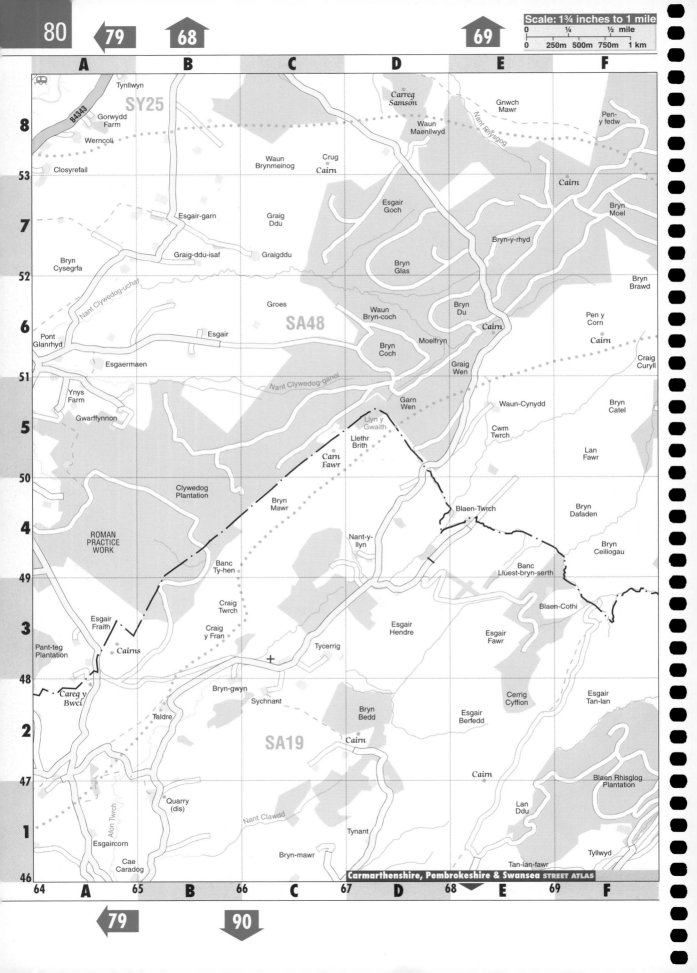

Scale: 1¾ inches to 1 mile
0   ¼   ½   mile
0 250m 500m 750m 1 km

8
Tynllwyn
SY25
B4343
Gorwydd Farm
Werncoli
Closyrefail
Carreg Samson
Waun Maenllwyd
Gnwch Mawr
Nant Rhysgog
Pen-y-fedw

53
Waun Brynmeinog
Crug Cairn
Cairn
Bryn Moel

7
Esgair-garn
Graig Ddu
Esgair Goch
Bryn-y-rhyd
Bryn Moel

Graig-ddu-isaf
Graigddu
Bryn Glas

52
Bryn Cysegrfa
Bryn Brawd

Nant Clywedog-uchaf
Groes
Waun Bryn-coch
Bryn Du
Pen y Corn

6
Esgair
SA48
Bryn Coch
Moelfryn
Cairn
Cairn

Pont Glanrhyd
Esgaermaen
Graig Wen
Craig Curyll

51
Ynys Farm
Nant Clywedog-ganol
Garn Wen
Waun-Cynydd
Bryn Catel

5
Gwarffynnon
Llyn y Gwaith
Llethr Brith
Cwm Twrch
Lan Fawr

Carn Fawr

50
Clywedog Plantation
Bryn Mawr
Blaen-Twrch
Bryn Dafaden

4
ROMAN PRACTICE WORK
Nant-y-llyn
Banc Lluest-bryn-serth
Bryn Ceiliogau

49
Banc Ty-hen
Blaen-Cothi

3
Esgair Fraith
Craig Twrch
Craig y Fran
Tycerrig
Esgair Hendre
Esgair Fawr

Pant-teg Plantation
Cairns

48
Careg y Bwci
Bryn-gwyn
Esgair Tan-lan

Taldre
Sychnant
Bryn Bedd
Esgair Berfedd
Cerrig Cyffion

2
SA19
Cairn
Cairn
Esgair Tan-lan

47
Quarry (dis)
Blaen Rhisglog Plantation

1
Afon Twrch
Nant Clawdd
Tynant
Lan Ddu
Tyllwyd

Esgaircorn
Bryn-mawr
Tan-lan-fawr

Cae Caradog

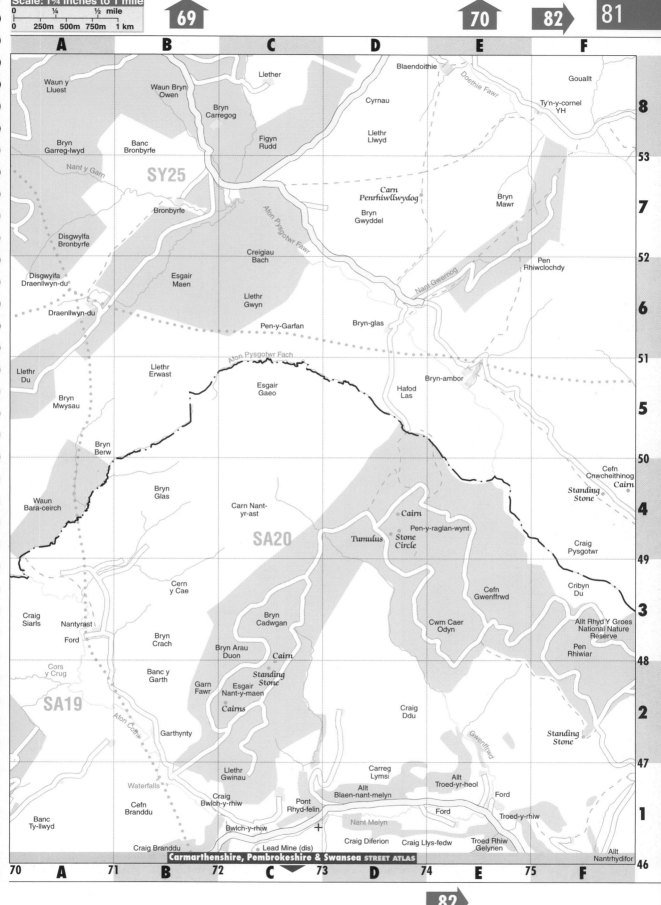

A   B   C   D   E   F

Waun y Lluest

Waun Bryn Owen

Llether

Blaendoithie

Doethie Fawr

Gouallt

8

Bryn Carregog

Cyrnau

Ty'n-y-cornel YH

Bryn Garreg-lwyd

Banc Bronbyrfe

Figyn Rudd

Llethr Llwyd

53

SY25

Nant y Garn

Carn Penrhiwllwydog

Bryn Mawr

7

Bronbyrfe

Afon Pysgotwr Fawr

Bryn Gwyddel

Disgwylfa Bronbyrfe

Esgair Maen

Creigiau Bach

52

Disgwyifa Draenllwyn-du

Nant Gwernog

Pen Rhiwclochdy

6

Draenllwyn-du

Llethr Gwyn

Pen-y-Garfan

Bryn-glas

Llethr Du

Llethr Erwast

Afon Pysgotwr Fach

51

Esgair Gaeo

Hafod Las

Bryn-ambor

5

Bryn Mwysau

Bryn Berw

50

Cefn Cnwcheithinog   Cairn

Bryn Glas

Carn Nant-yr-ast

Cairn

Standing Stone

4

Waun Bara-ceirch

SA20

Pen-y-raglan-wynt

Tumulus   Stone Circle

Craig Pysgotwr

49

Cern y Cae

Cribyn Du

3

Craig Siarls

Nantyrast

Bryn Crach

Bryn Cadwgan

Cwm Caer Odyn

Cefn Gwenffrwd

Allt Rhyd Y Groes National Nature Reserve

Ford

Bryn Arau Duon

Cairn

Pen Rhiwiar

48

Cors y Crug

Banc y Garth

Garn Fawr

Esgair Nant-y-maen

Standing Stone

Craig Ddu

Standing Stone

2

SA19

Afon Cothi

Cairns

Garthynty

Gwenffrwd

47

Llethr Gwinau

Carreg Lymsi

Allt Troed-yr-heol

Ford

Waterfalls

Craig Bwlch-y-rhiw

Allt Blaen-nant-melyn

Ford

Troed-y-rhiw

1

Banc Ty-llwyd

Cefn Branddu

Bwlch-y-rhiw

Pont Rhyd-felin

Nant Melyn

Craig Diferion

Craig Llys-fedw

Troed Rhiw Gelynen

Allt Nantrhydifor

Craig Branddu

Lead Mine (dis)

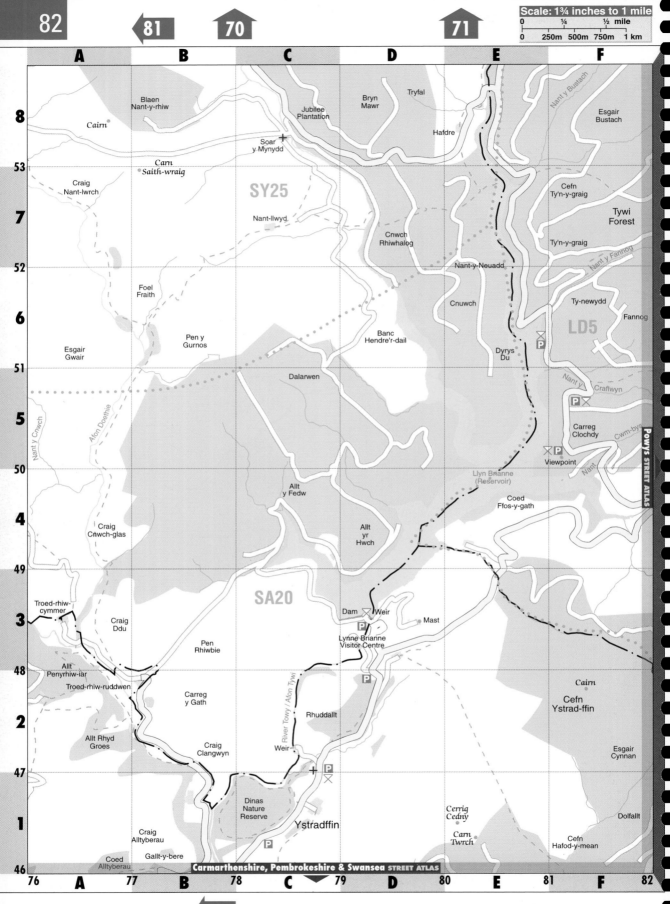

Scale: 1¾ inches to 1 mile

0 ¼ ½ mile
0 250m 500m 750m 1 km

A **B** **C** **D** **E** **F**

Cairn

Blaen
Nant-y-rhiw

Jubilee
Plantation

Bryn
Mawr

Tryfal

Esgair
Bustach

8

Soar
y Mynydd

Hafdre

53

Carn
Saith-wraig

Craig
Nant-lwrch

SY25

Cefn
Ty'n-y-graig

Tywi
Forest

7

Nant-llwyd

Cnwch
Rhiwhalog

Ty'n-y-graig

52

Nant-y-Neuadd

Foel
Fraith

Cnuwch

Ty-newydd

Fannog

6

Pen y
Gurnos

Banc
Hendre'r-dail

Dyrys
Du

LD5

51

Esgair
Gwair

Dalarwen

5

Nant y Cnwch

Afon Doethie

Carreg
Clochdy

Llyn Brianne
(Reservoir)

Viewpoint

50

Allt
y Fedw

Coed
Ffos-y-gath

4

Craig
Cnwch-glas

Allt
yr
Hwch

49

SA20

3

Troed-rhiw-
cymmer

Craig
Ddu

Pen
Rhiwbie

Dam   Weir

Mast

Lynne Brianne
Visitor Centre

Cairn

Cefn
Ystrad-ffin

48

Allt
Penyrhiw-iar

Troed-rhiw-ruddwen

Carreg
y Gath

Rhuddallt

2

Allt Rhyd
Groes

Craig
Clangwyn

Weir

River Towy / Afon Tywi

Esgair
Cynnan

47

Dinas
Nature
Reserve

Ystradffin

Cerrig
Cedny

Carn
Twrch

Dolfallt

1

Craig
Alltyberau

Gallt-y-bere

Cefn
Hafod-y-mean

46

Coed
Alltyberau

76 **A** **77** **B** **78** **C** **79** **D** **80** **E** **81** **F** **82**

Powys STREET ATLAS

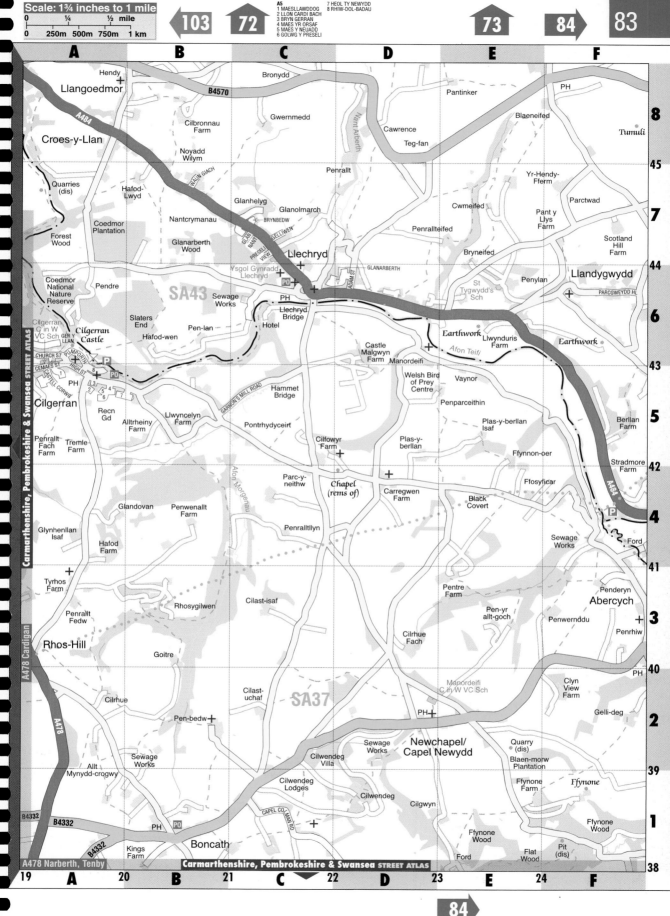

Scale: 1¾ inches to 1 mile

0   ¼   ½ mile
0 250m 500m 750m 1 km

A5
1 MAESLLAWDDOG
2 LLON CARDI BACH
3 BRYN GERRAN
4 MAES YR ORSAF
5 MAES Y NEUADD
6 GOLWG Y PRESELI

7 HEOL TY NEWYDD
8 RHIW-DOL-BADAU

103   72   73   84   83

Llangoedmor
Hendy
Croes-y-Llan
B4570
Bronydd
Pantinker
PH
Blaeneifed
Tumuli
Quarries (dis)
Cilbronnau Farm
Gwernmedd
Cawrence
Teg-fan
Yr-Hendy-Fferm
Parctwad
Noyadd Wilym
Penrallt
Cwmeifed
Pant y Llys Farm
Hafod-Lwyd
Coedmor Plantation
Nantcrymanau
Glanhelyg
Glanolmarch
Penrallteifed
Bryneifed
Scotland Hill Farm
Forest Wood
Glanarberth Wood
BRYNBEDW
Llechryd
Ysgol Gynradd Llechryd
GLANARBERTH
Penylan
Llandygwydd
St Tygwydd's Sch
PARCGWEYDD HL
Coedmor National Nature Reserve
Pendre
SA43
Sewage Works
PH
Earthwork
Llwynduris Farm
Earthwork
Afon Teifi
Cilgerran C in W VC Sch
Cilgerran Castle
Slaters End
Llechryd Bridge
Hafod-wen
Pen-lan
Hotel
Castle Malgwyn Farm
Manordeifi
Vaynor
Berllan Farm
CHURCH ST
PH
Recn Gd
Alltrheiny Farm
Llwyncelyn Farm
Hammet Bridge
Welsh Bird of Prey Centre
Penparceithin
Stradmore Farm
Cilgerran
Tremle Farm
Pontrhydyceirt
Plas-y-berllan Isaf
A484
Penrallt Fach Farm
Cilfowyr Farm
Plas-y-berllan
Ffynnon-oer
Glandovan
Penwenallt Farm
Parc-y-neithw
Chapel (rems of)
Carregwen Farm
Black Covert
Ffosyficar
Ford
Glynhenllan Isaf
Hafod Farm
Penralltllyn
Sewage Works
Tyrhos Farm
Pentre Farm
Penderyn Farm
Penrallt Fedw
Rhosygilwen
Cilast-isaf
Pen-yr allt-goch
Penwernddu
Abercych
Rhos-Hill
Goitre
Cilrhue Fach
Penrhiw
A478 Cardigan
Cilrhue
Cilast-uchaf
SA37
Manordeifi C in W VC Sch
Clyn View Farm
PH
Pen-bedw
PH
Gelli-deg
A478
Sewage Works
Newchapel/ Capel Newydd
Quarry (dis)
Allt Mynydd-crogwy
Cilwendeg Villa
Sewage Works
Blaen-morw Plantation
Cilwendeg Lodges
Cilwendeg
Cilgwyn
Ffynone Farm
Ffynone
B4332
B4332
PH
PO
CAPEL CO. MAI RD
Ffynone Wood
Ffynone Wood
B4332
Kings Farm
Boncath
Ffynone Wood
Flat Wood
Pit (dis)
Ford

Carmarthenshire, Pembrokeshire & Swansea STREET ATLAS

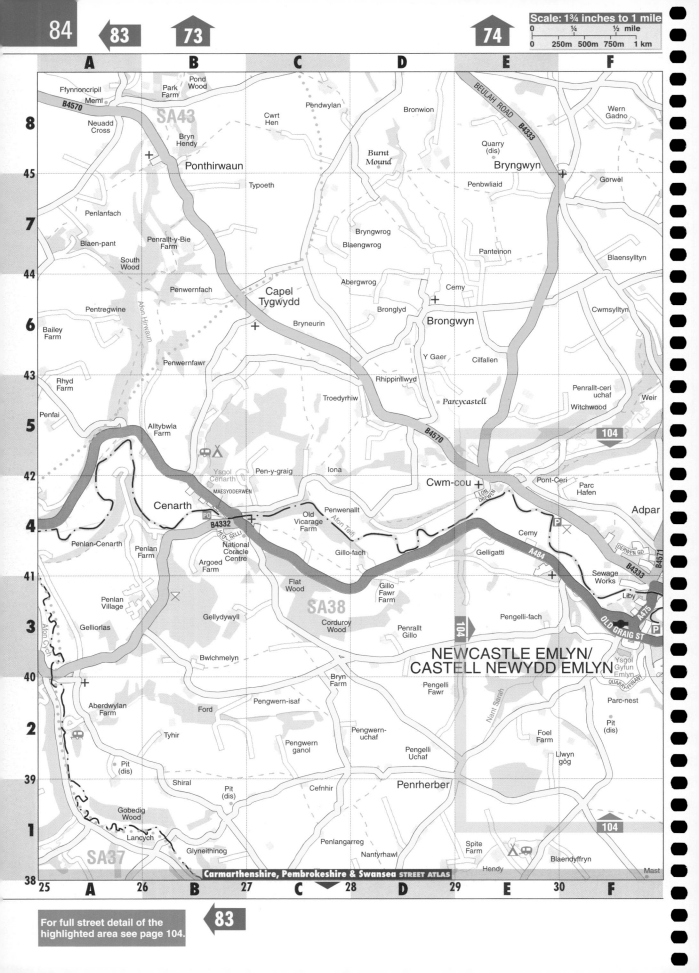

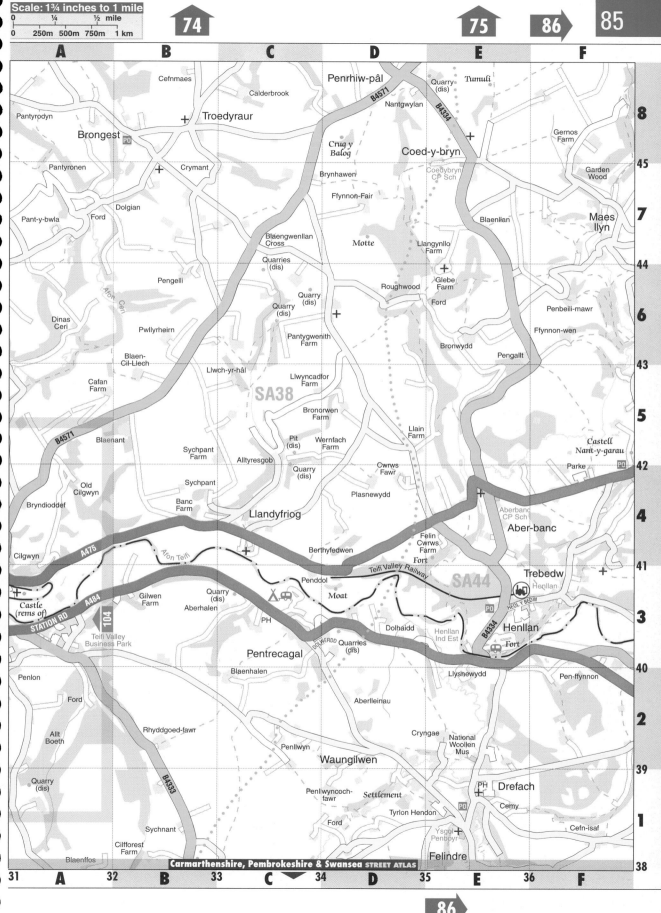

A B C D E F

8
45
7
44
6
43
5
42
4
41
3
40
2
39
1
38

Cefnmaes
Calderbrook
Penrhiw-pâl
B4571
Nantgwylan
Quarry (dis)
Tumuli

Pantyrodyn
Troedyraur
Brongest
PO
Crug y Balog
Coed-y-bryn
Coedybryn CP Sch
Gernos Farm

Pantyronen
Crymant
Brynhawen
Ffynnon-Fair
Blaenllan
Garden Wood

Maes llyn

Dolgian
Ford
Blaengwenllan Cross
Motte
Llangynllo Farm

Pant-y-bwla
Pengelli
Quarries (dis)
Roughwood
Glebe Farm
Penbeili-mawr

Dinas Ceri
Pwllyrheirn
Quarry (dis)
Quarry (dis)
Ford
Ffynnon-wen

Blaen-Cil-Llech
Pantygwenith Farm
Bronwydd
Pengallt

Cafan Farm
Llwch-yr-hâl
Llwyncadfor Farm

SA38
Bronorwen Farm

Blaenant
B4571
Llain Farm
Castell Nant-y-garau

Old Cilgwyn
Sychpant Farm
Pit (dis)
Wernfach Farm
Parke
PO

Bryndioddef
Sychpant
Alltyresgob
Quarry (dis)
Cwrws Fawr

Cilgwyn
A475
Banc Farm
Plasnewydd
Aberbanc CP Sch

Llandyfriog
Felin Cwrws Farm
Aber-banc

A484
Afon Teifi
Berthyfedwen
Teifi Valley Railway
SA44
Trebedw

Castle (rems of)
STATION RD
104
Gilwen Farm
Quarry (dis)
Penddol
Fort
Henllan
HEOL Y BEDW

Teifi Valley Business Park
Aberhalen
Moat
Henllan Ind Est
PO
B4334
Henllan
Fort

Penlon
PH
DOLWERDD
Dolhaidd
Pentrecagal
Quarries (dis)
Llysnewydd
Pen-ffynnon

Ford
Blaenhalen
Aberlleinau

Allt Boeth
Rhyddgoed-fawr
Cryngae
National Woollen Mus

Penllwyn
Waungilwen
Drefach
PH

Quarry (dis)
B4333
Penllwyncoch-fawr
Settlement
Cemy

Sychnant
Ford
Tyrlon Hendon
PO
Cefn-isaf

Cilfforest Farm
Ysgol Penboyr

Blaenffos
Felindre

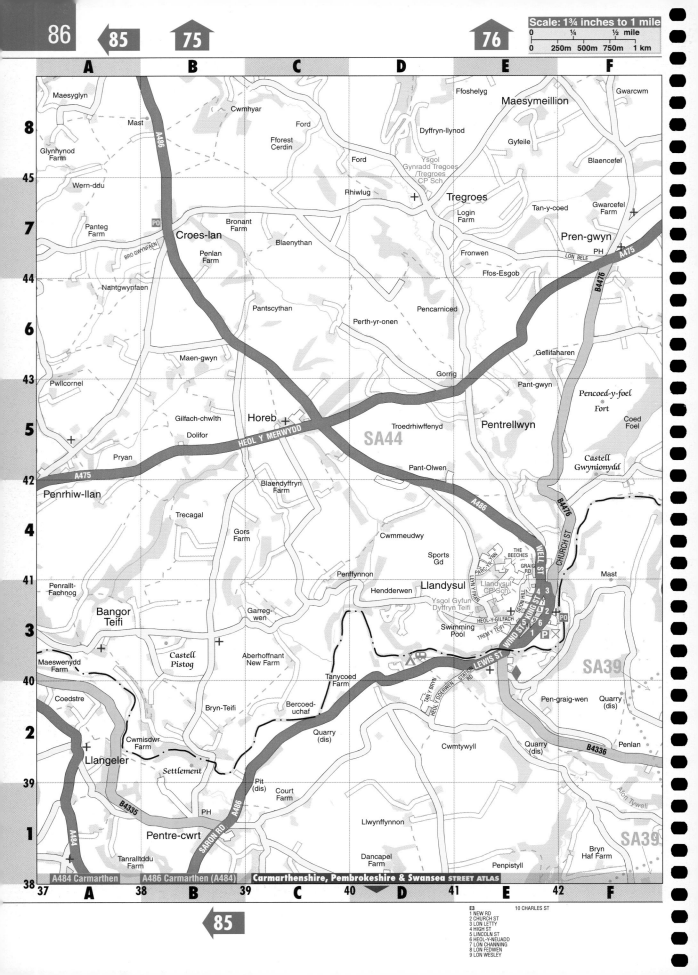

Scale: 1¾ inches to 1 mile

0   ¼   ½ mile
0   250m   500m   750m   1 km

A   **B**   **C**   **D**   **E**   **F**

8

Maesyglyn
Cwmhyar
Mast
Ford
Ffoshelyg
Maesymeillion
Gwarcwm

Glynhynod Farm
Fforest Cerdin
Ford
Dyffryn-llynod
Gyfeile
Blaencefel

45

Wern-ddu
Ysgol Gynradd Tregoes /Tregroes CP Sch
Tan-y-coed
Gwarcefel Farm

7

Panteg Farm
Croes-lan
Bronant Farm
Penlan Farm
Blaenythan
Rhiwlug
Tregroes
Login Farm
Pren-gwyn
PH
A475
LON BELE

44

Nantgwynfaen
Pantscythan
Fronwen
Ffos-Esgob
B4476

6

Maen-gwyn
Perth-yr-onen
Pencarniced
Gellifaharen

43

Pwllcornel
Gorrig
Pant-gwyn
Pencoed-y-foel Fort
Coed Foel

5

Gilfach-chwith
Horeb
HEOL Y MERWYDD
Dolifor
Troedrhiwffenyd
SA44
Pentrellwyn
Castell Gwynionydd

Pryan
Pant-Olwen
B4476

42

A475
Penrhiw-llan
Blaendyffryn Farm
A486

4

Trecagal
Gors Farm
Cwmmeudwy
Sports Gd
THE BEECHES
WELL ST
CHURCH ST
Mast

41

Penrallt-Fachnog
Penffynnon
Hendderwen
Llandysul
GRAIG RD
PARC-YR- INN
Llandysul CP Sch
LWYN FRON
KING ST

Bangor Teifi
Garregwen
Ysgol Gyfun Dyffryn Teifi
HEOL-Y-GILFACH
WIND ST

3

Maeswenydd Farm
Castell Pistog
Aberhoffnant New Farm
TREM Y TEIFI
Swimming Pool
P

Coedstre
LEWIS ST
SA39

40

Bryn-Teifi
Bercoed-uchaf
Tanycoed Farm
TAN Y BRYN
HEOL Y DERWEN
STATION RD
Pen-graig-wen
Quarry (dis)

2

Cwmisdwr Farm
Quarry (dis)
Cwmtywyll
Quarry (dis)
Penlan
B4336

Llangeler
Settlement

39

Pit (dis)
Court Farm
Afon Tywel

1

A484
B4335
Pentre-cwrt
SARON RD
A486
PH
Llwynffynnon
Bryn Haf Farm
SA39

Tanrallt ddu Farm
Dancapel Farm
Penpistyll

38

E3
1 NEW RD
2 CHURCH ST
3 LON LETTY
4 HIGH ST
5 LINCOLN ST
6 HEOL-Y-NEUADD
7 LON CHANNING
8 LON FEDWEN
9 LON WESLEY
10 CHARLES ST

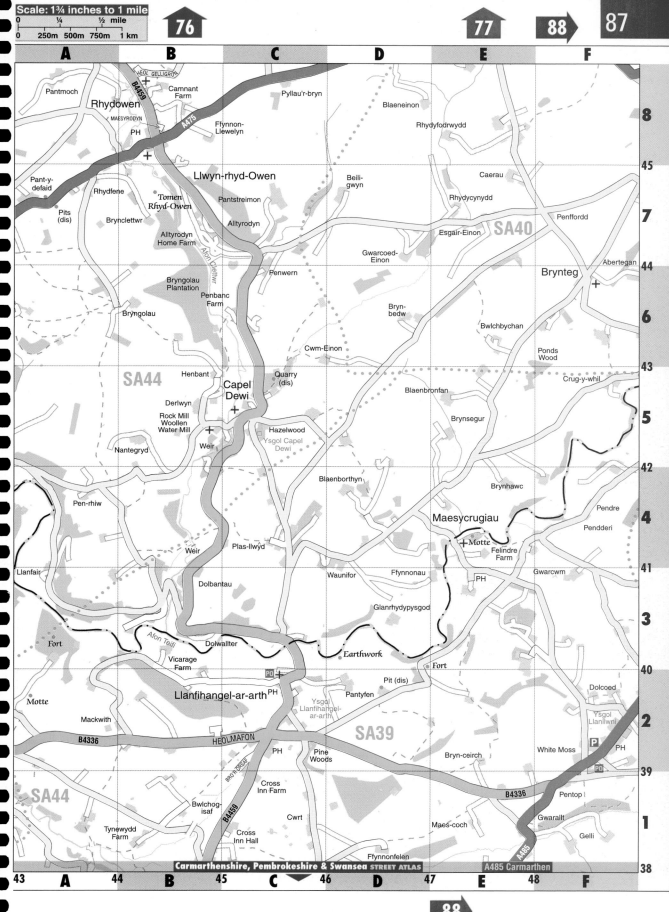

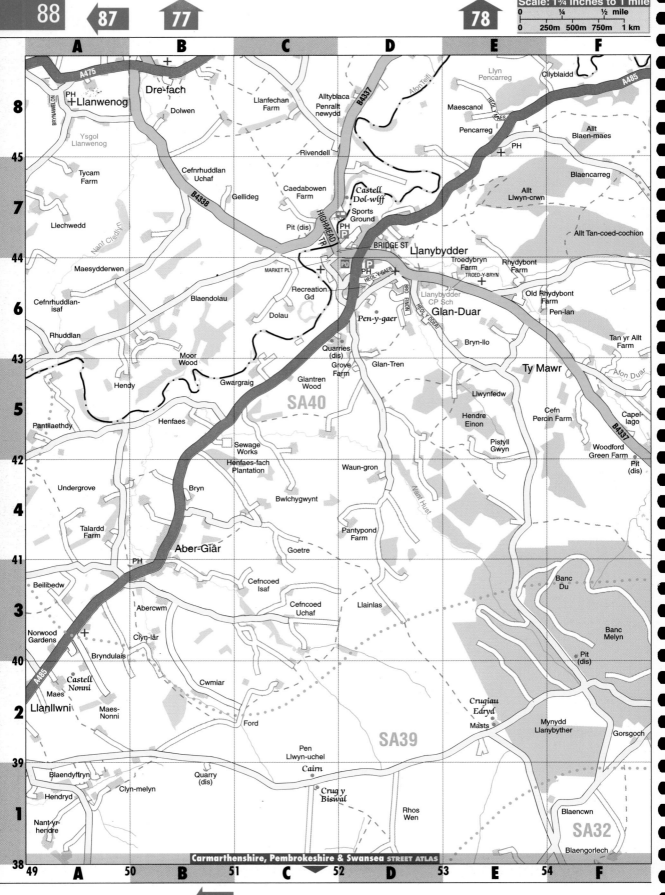

A475
PH
Llanwenog
BRYNAWELON
Ygol
Llanwenog
Dre-fach
Dolwen
Tycam
Farm
Cefnrhuddlan
Uchaf
Gellideg
Llanfechan
Farm
Caedabowen
Farm
Alltyblaca
Penrallt
newydd
B4337
Afon Teifi
Llyn
Pencarreg
Cilyblaidd
A485
Maescanol
HEOL Y MAES
PH
Pencarreg
Allt
Blaen-maes
Llechwedd
B4338
Rivendell
Castell
Dol-wlff
Sports
Ground
Blaencarreg
Allt
Llwyn-crwn
Pit (dis)
HIGHMEAD TR
PH
P
Allt Tan-coed-cochion
BRIDGE ST
Llanybydder
Maesydderwen
MARKET PL
PO
P
PH
HEOL-Y-GAER
Troedybryn
Farm
TROED-Y-BRYN
Rhydybont
Farm
Old Rhydybont
Farm
Recreation
Gd
BRO EINON
Llanybydder
CP Sch
HEOL Y DDERI
Glan-Duar
Pen-lan
Cefnrhuddlan-
isaf
Blaendolau
Dolau
Pen-y-gaer
Bryn-llo
Tan yr Allt
Farm
Rhuddlan
Moor
Wood
Quarries
(dis)
Grove
Farm
Glan-Tren
Ty Mawr
Afon Duar
Hendy
Gwargraig
Glantren
Wood
Llwynfedw
Cefn
Percin Farm
Capel-
Iago
B4337
SA40
Henfaes
Pantllaethdy
Hendre
Einon
Pistyll
Gwyn
Woodford
Green Farm
Pit
(dis)
Sewage
Works
Henfaes-fach
Plantation
Waun-gron
Undergrove
Bryn
Bwlchygwynt
Pantypond
Farm
Talardd
Farm
Aber-Giâr
Goetre
Banc
Du
PH
Beilibedw
Cefncoed
Isaf
Cefncoed
Uchaf
Llainlas
Banc
Melyn
Abercwm
Norwood
Gardens
Clŷn-lâr
Pit
(dis)
Bryndulais
Castell
Nonni
Cwmiar
Maes
Maes-
Nonni
Crugiau
Edryd
Masts
Mynydd
Llanybyther
Gorsgoch
Llanllwni
Ford
SA39
Blaendyfryn
Clyn-melyn
Quarry
(dis)
Pen
Llwyn-uchel
Cairn
Hendryd
Crug y
Biswal
Rhos
Wen
Blaencwn
SA32
Nant-yr-
hendre
Blaengorlech

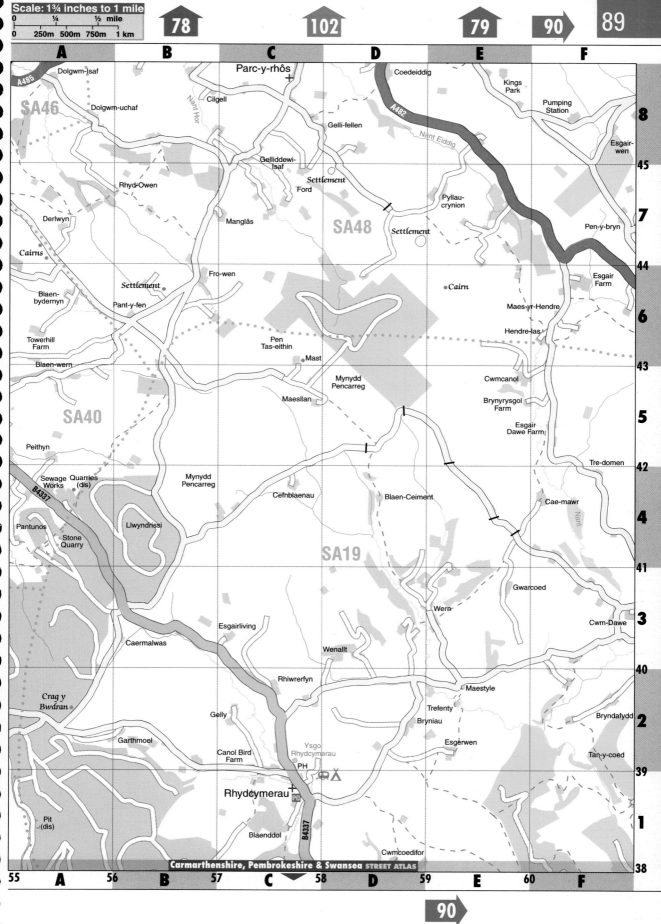

A   B   C   D   E   F

8
45
7
44
6
43
5
42
4
41
3
40
2
39
1
38

A485
Dolgwm-Isaf
SA46
Cilgell
Dolgwm-uchaf
Nant Hor
Parc-y-rhôs
Coedeiddig
Kings Park
A482
Pumping Station
Nant Eiddig
Esgair-wen
Gelli-fellen
Gelliddewi-Isaf
Rhyd-Owen
Settlement
Ford
Pyllau-crynion
SA48
Pen-y-bryn
Derlwyn
Manglâs
Settlement
Esgair Farm
Cairns
Fro-wen
Cairn
Maes-yr-Hendre
Settlement
Blaen-bydernyn
Pant-y-fen
Hendre-las
Towerhill Farm
Pen Tas-eithin
Cwmcanol
Blaen-wern
Mast
Mynydd Pencarreg
Brynyrysgol Farm
SA40
Maesllan
Esgair Dawe Farm
Peithyn
Tre-domen
Sewage Works
Quarries (dis)
Mynydd Pencarreg
B4337
Cefnblaenau
Blaen-Ceiment
Cae-mawr
Pantunos
Llwyndrissi
Stone Quarry
SA19
Nant
Esgairliving
Gwarcoed
Cwm-Dawe
Caermalwas
Wern
Crag y Bwdran
Wenallt
Rhiwrerfyn
Maestyle
Gelly
Trefenty
Bryndafydd
Bryniau
Garthmoel
Esgerwen
Tan-y-coed
Canol Bird Farm
Ysgol Rhydcymerau
PH
B4337
Rhydcymerau
PO
Pit (dis)
Blaenddol
Cwmcoedifor

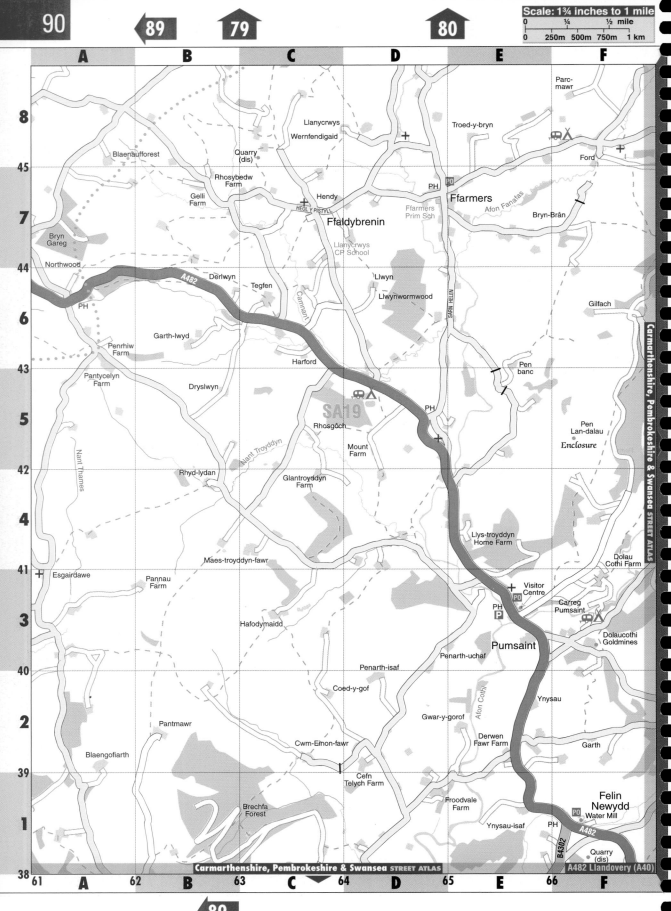

89
79
80
89

Scale: 1¾ inches to 1 mile

0   ¼   ½ mile
0 250m 500m 750m 1 km

Carmarthenshire, Pembrokeshire & Swansea STREET ATLAS

Parc-mawr
Blaenauforest
Quarry (dis)
Llanycrwys
Wernfendigaid
Troed-y-bryn
Ford
Rhosybedw Farm
Gelli Farm
Hendy
PH
PO
Ffaldybrenin
Ffarmers
Ffarmers Prim Sch
Afon Fanalas
Bryn-Brân
Bryn Gareg
HEOL Y PISTYLL
Northwood
Llanycrwys CP School
Llwyn
Gilfach
Derlwyn
Tegfen
Llwynwormwood
A482
Carmant
Garth-lwyd
SARN HELEN
PH
Penrhiw Farm
Harford
Pen banc
Pantycelyn Farm
Dryslwyn
SA19
Pen Lan-dalau
PH
Enclosure
Nant Thames
Rhosgôch
Nant Troyddyn
Mount Farm
Rhyd-lydan
Glantroyddyn Farm
Maes-troyddyn-fawr
Llys-troyddyn Home Farm
Dolau Cothi Farm
Esgairdawe
Pannau Farm
Hafodymaidd
PO
Visitor Centre
Carreg Pumsaint
Dolaucothi Goldmines
PH
P
Pantmawr
Penarth-uchaf
Pumsaint
Penarth-isaf
Coed-y-gof
Ynysau
Blaengofiarth
Gwar-y-gorof
Afon Cothi
Derwen Fawr Farm
Garth
Cwm-Eifion-fawr
Cefn Telych Farm
Felin Newydd
PO
Froodvale Farm
Water Mill
Brechfa Forest
Ynysau-isaf
PH
A482
B4302
Quarry (dis)

Carmarthenshire, Pembrokeshire & Swansea STREET ATLAS

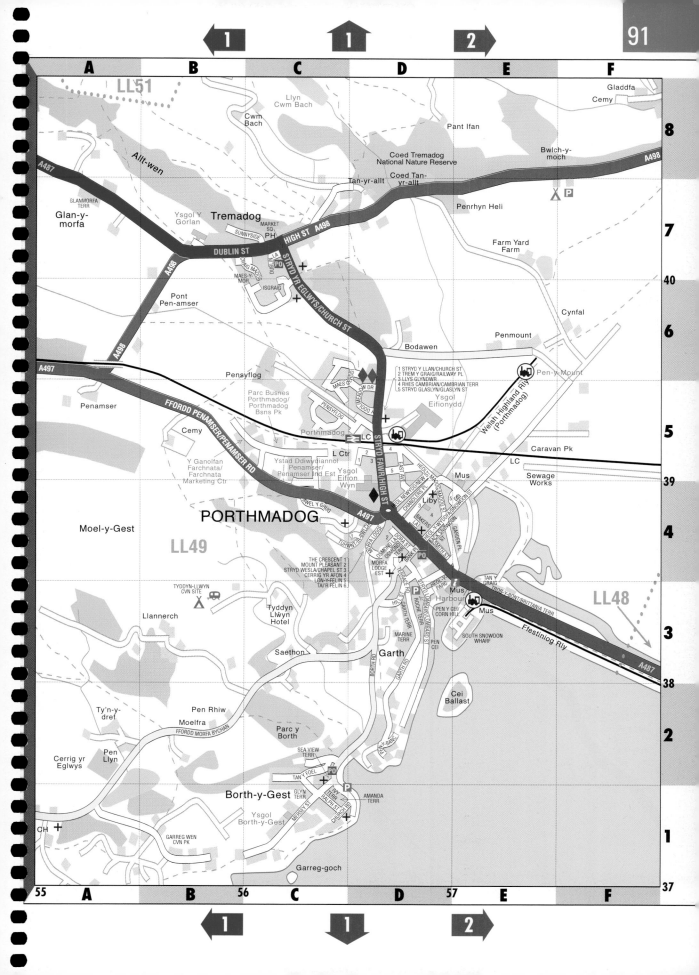

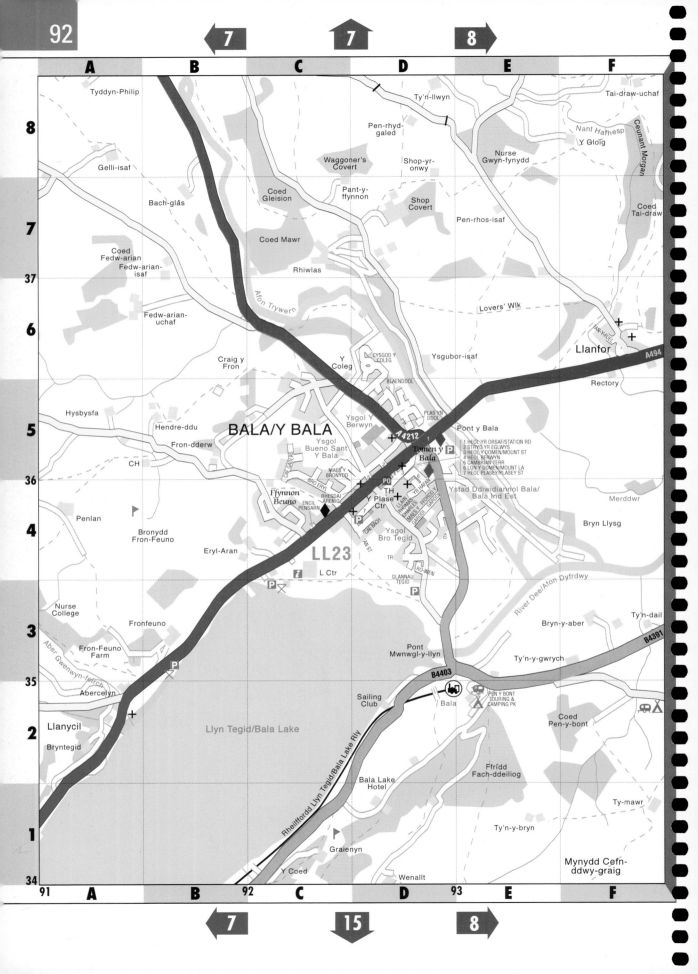

8

7

32

6

Gilarwen

Ty'n-y-morfa

Glyn-morfa

Ty Canol

Cerig-y-gwaenydd

B4573

FFORDD TY CWOL

FFORDD TY CANOL

GLAN GOES

BRON YR

FFORDD MORFA

Lower Harlech

Ysgol Ardudwy

FFORDD GLAN MOR

Ysgol Tan y Castell

Tan Y Castell Workshops

Harlech

Harlech Castle

STRYD FAWR

Harlech

PORKINGTON TERR

CH

LC

PO

BRONWEN TERR

Liby

PARC BRONW

5

31

LL46

Coleg Harlech

LC

ROCK TERR

GROGAN TERR

Cefnfilltir

4

Tremadog Bay/
Bae Tremadog

FFORDD NEWYDD

FFORDD ISAF

B4573

Hotel

Cvn Pk

3

30

Traeth Dy

Groes-lâs

HAULFRYN

FRONHILL

Brwyn-llynau

2

PANT-YR-ONNEN

FFORDD UWCHAGLAN

PENFAIR

LLWYN-Y-GADAIR

DERLWYN

Uwch Glan

Hen-gaeau

1

Harlech Cliff

Cvn Site

A496

PO

Llanfair

29

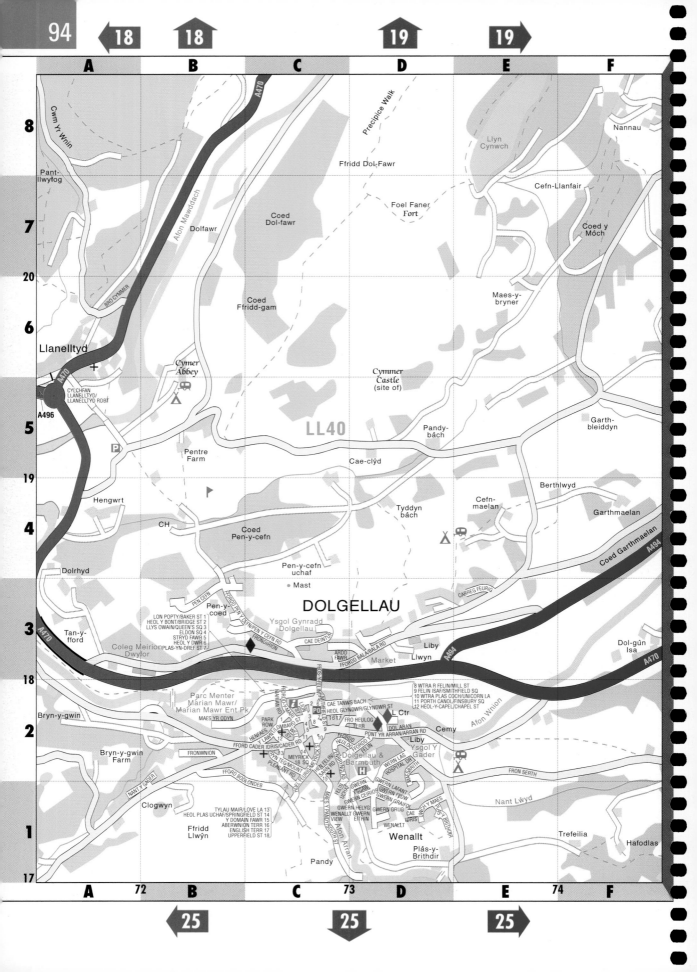

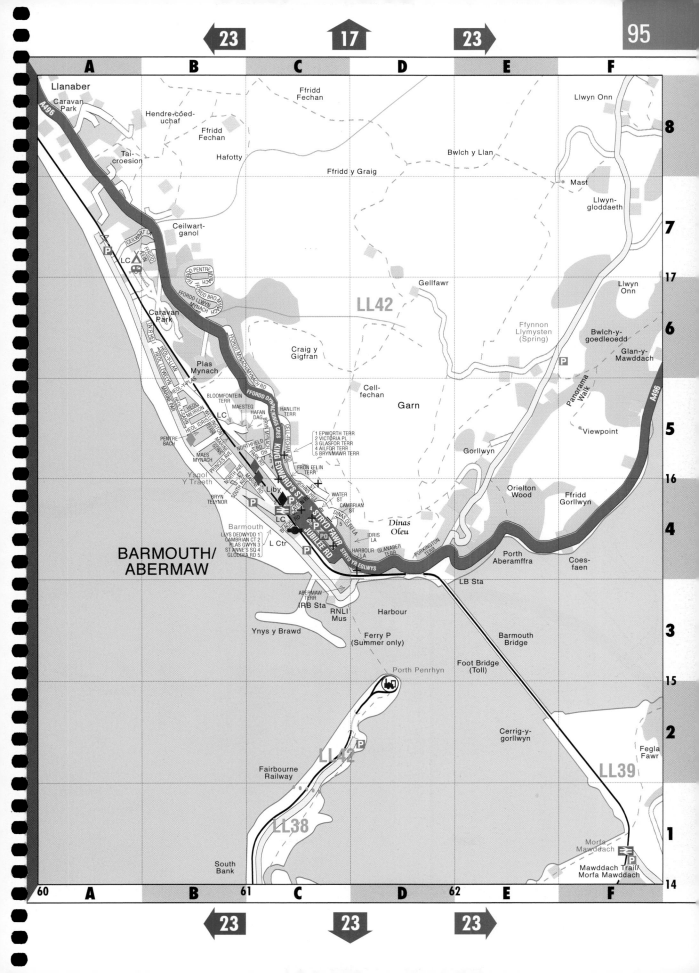

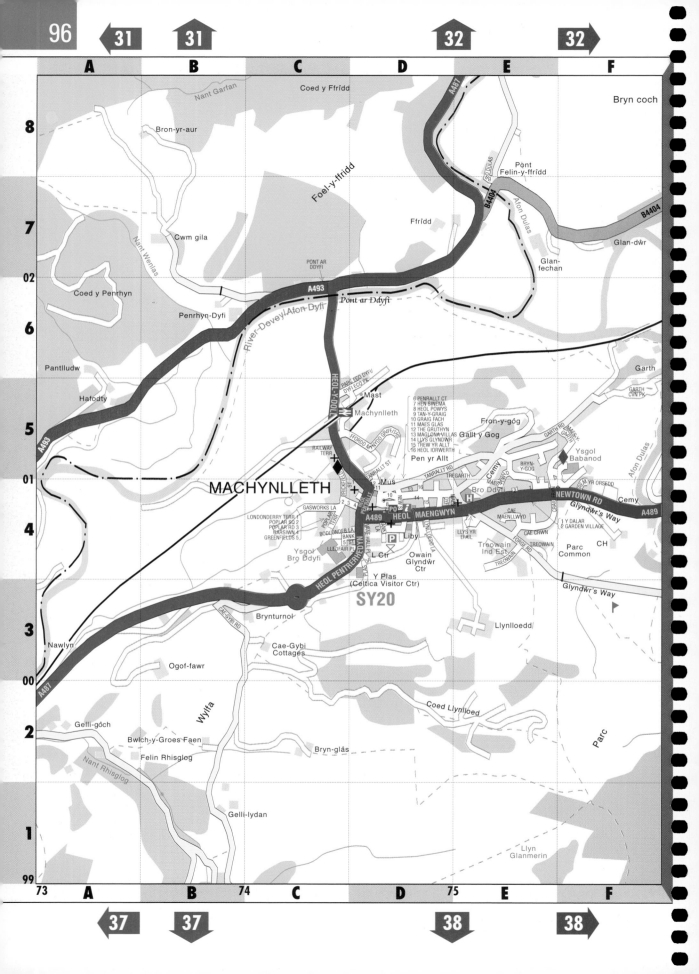

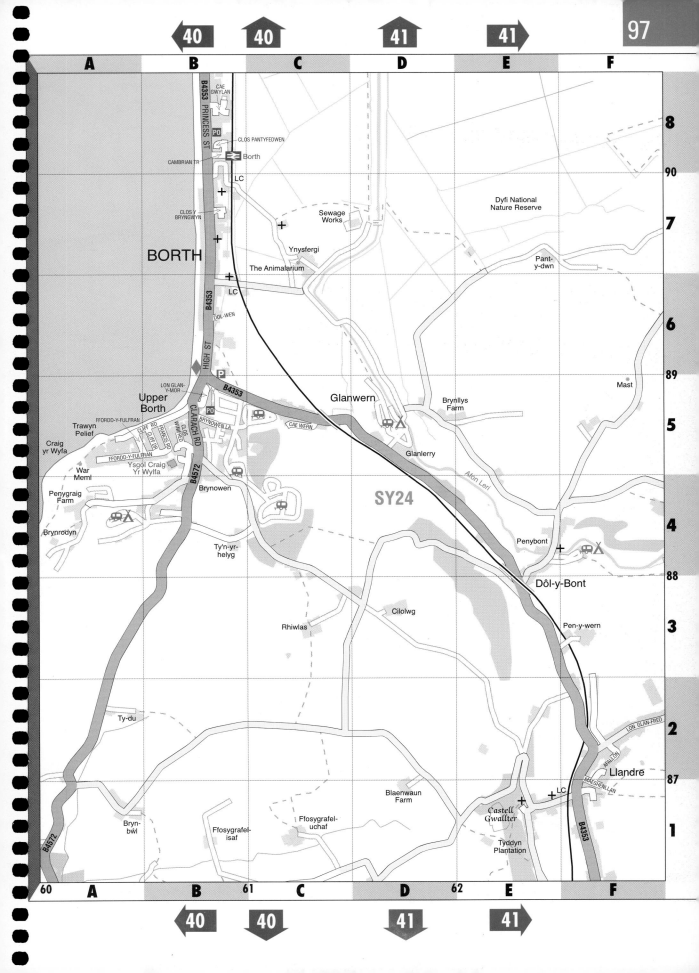

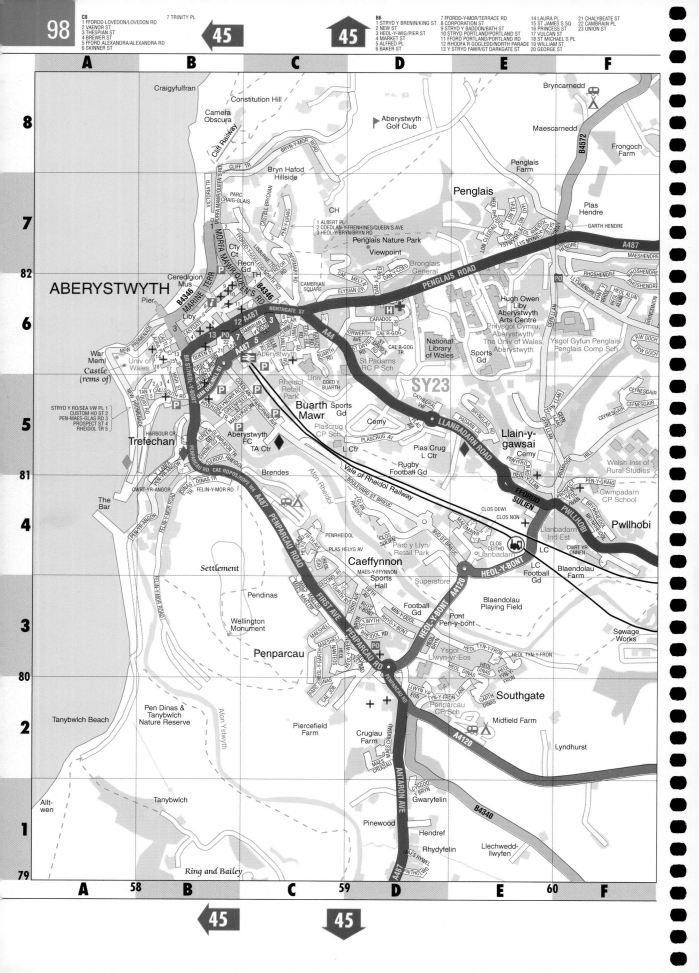

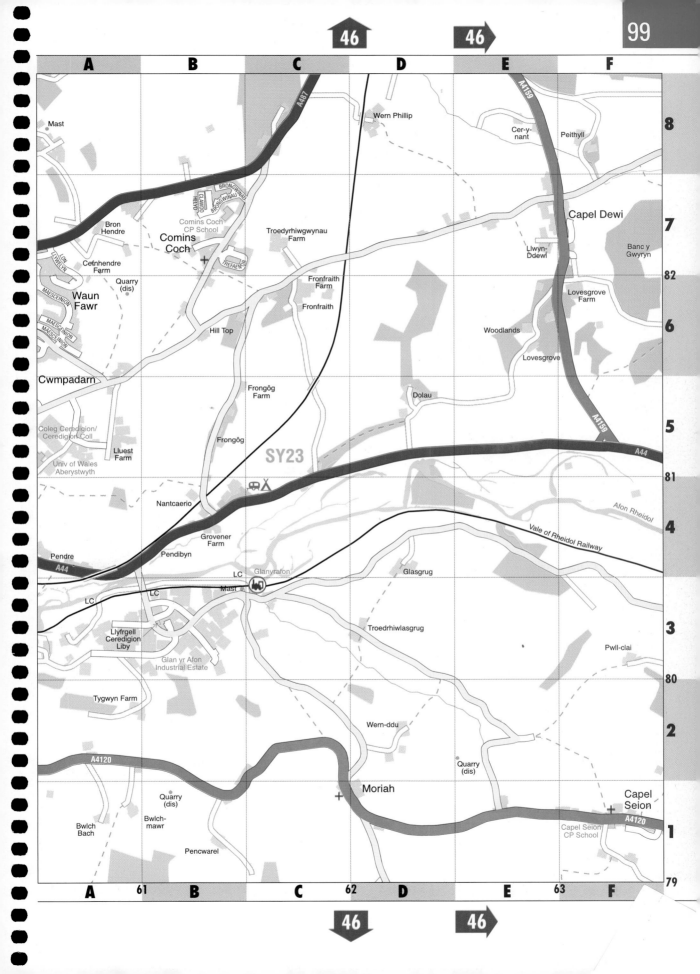

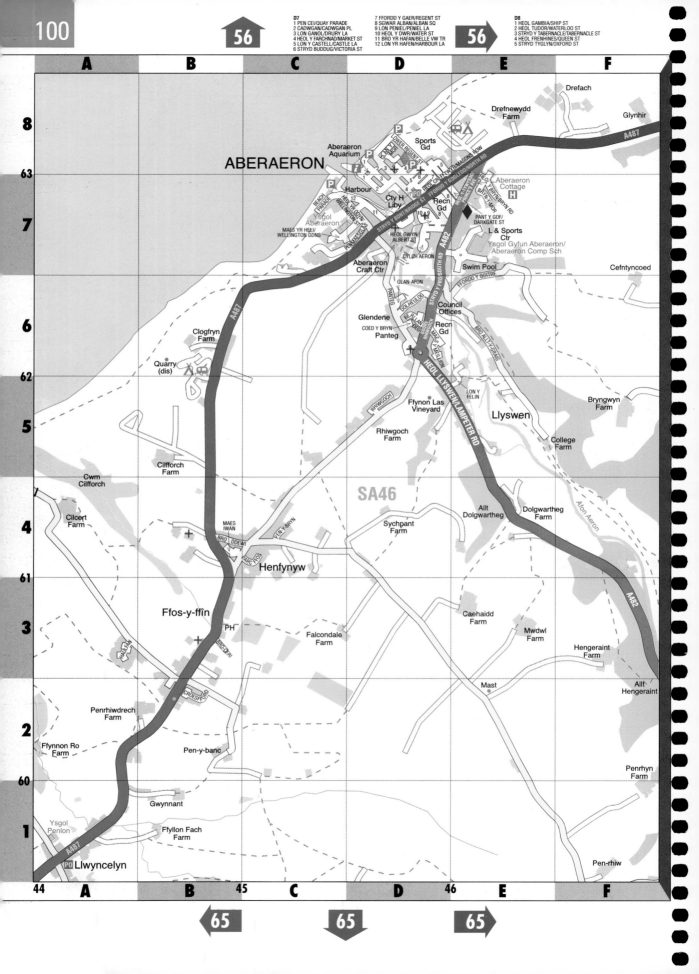

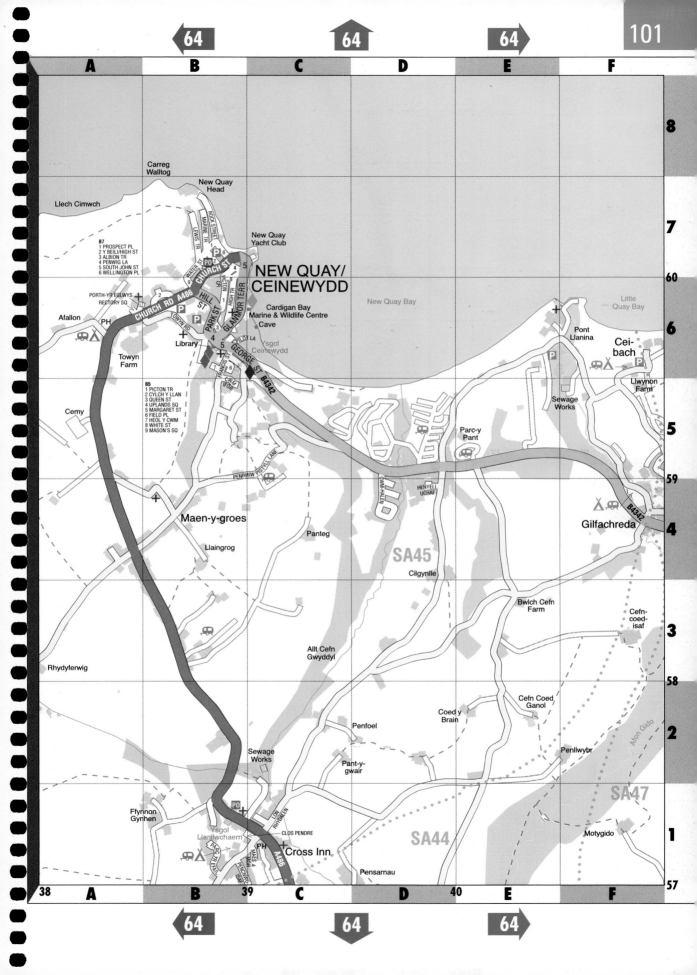

A B C D E F

8

7

Carreg
Walltog

New Quay
Head

Llech Cimwch

New Quay
Yacht Club

60

B7
1 PROSPECT PL
2 Y BEILI/HIGH ST
3 ALBION TR
4 PENWIG LA
5 SOUTH JOHN ST
6 WELLINGTON PL

**NEW QUAY/
CEINEWYDD**

New Quay Bay

Little
Quay Bay

PORTH-YR-EGLWYS
RECTORY SQ

Cardigan Bay
Marine & Wildlife Centre
Cave

Pont
Llanina

Cei-
bach

6

Afallon

PH

Library

Ysgol
Ceinewydd

Llwynon
Farm

Towyn
Farm

GEORGE ST B4342

Sewage
Works

Cemy

B5
1 PICTON TR
2 CYLCH Y LLAN
3 QUEEN ST
4 UPLANDS SQ
5 MARGARET ST
6 FIELD PL
7 HEOL Y CWM
8 WHITE ST
9 MASON'S SQ

Parc-y-
Pant

5

PENRHIW PISTYLL LANE

59

Maen-y-groes

CWM-HALEN

HEN-YELL
UCHAF

B4342

Gilfachreda

4

Llaingrog

Panteg

SA45

Cilgynlle

Bwlch Cefn
Farm

Cefn-
coed-
isaf

3

Allt Cefn
Gwyddyl

Rhydyferwig

58

Cefn Coed
Ganol

Coed y
Brain

Penfoel

Penllwybr

SA47

2

Sewage
Works

Pant-y-
gwair

Afon Gido

Ffynnon
Gynhen

PO

SA44

Motygido

1

Ysgol
Llanllwchaern

PH

Cross Inn

A486

CLOS PENDRE

LÔN
RHYDWEN

Pensarnau

57

38 A B 39 C D 40 E F

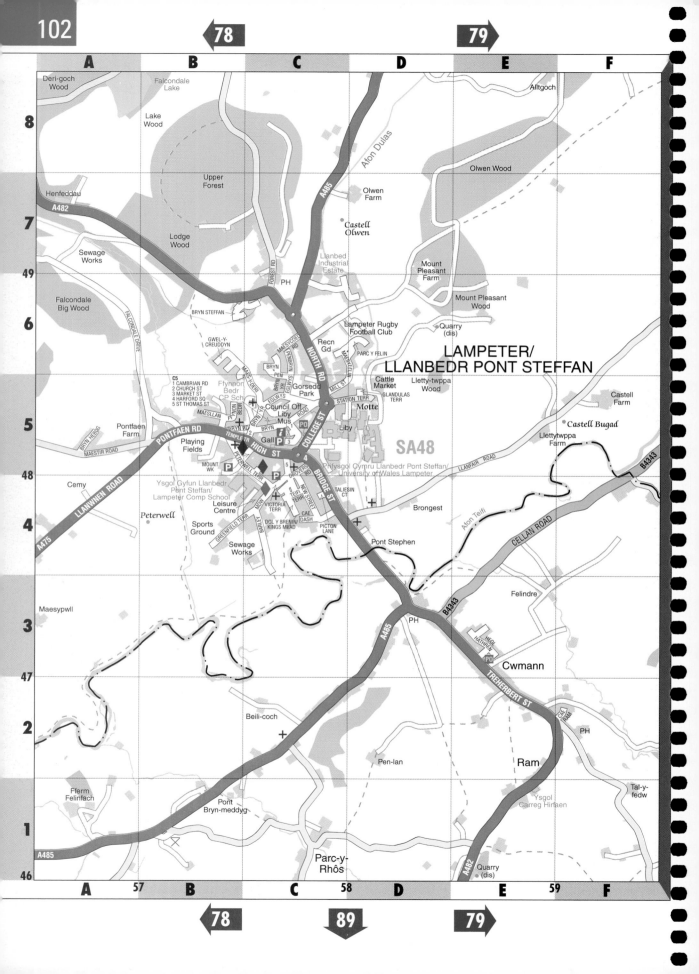

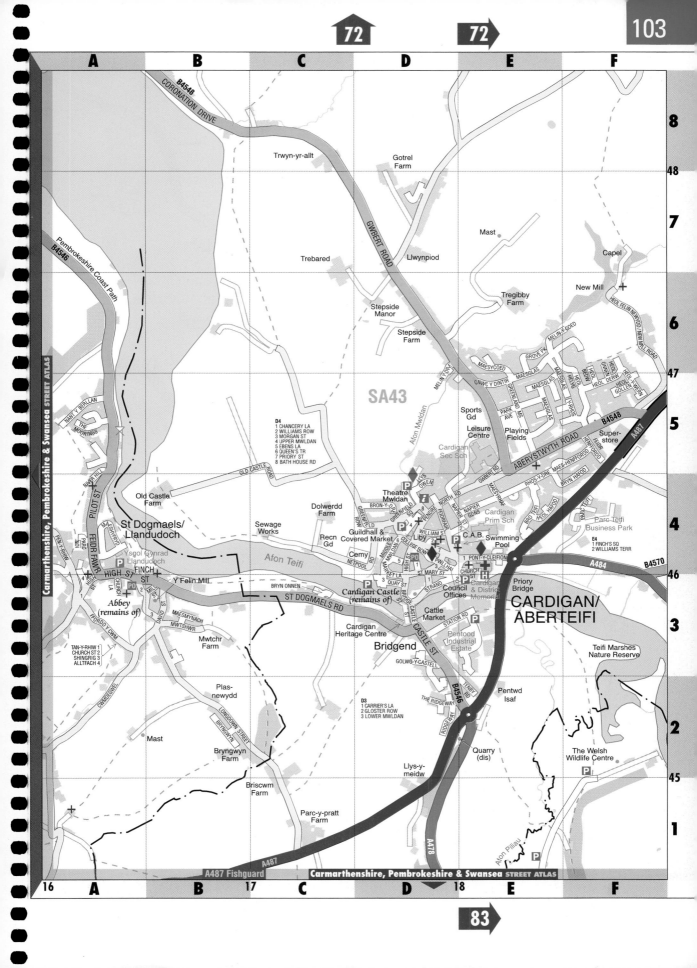

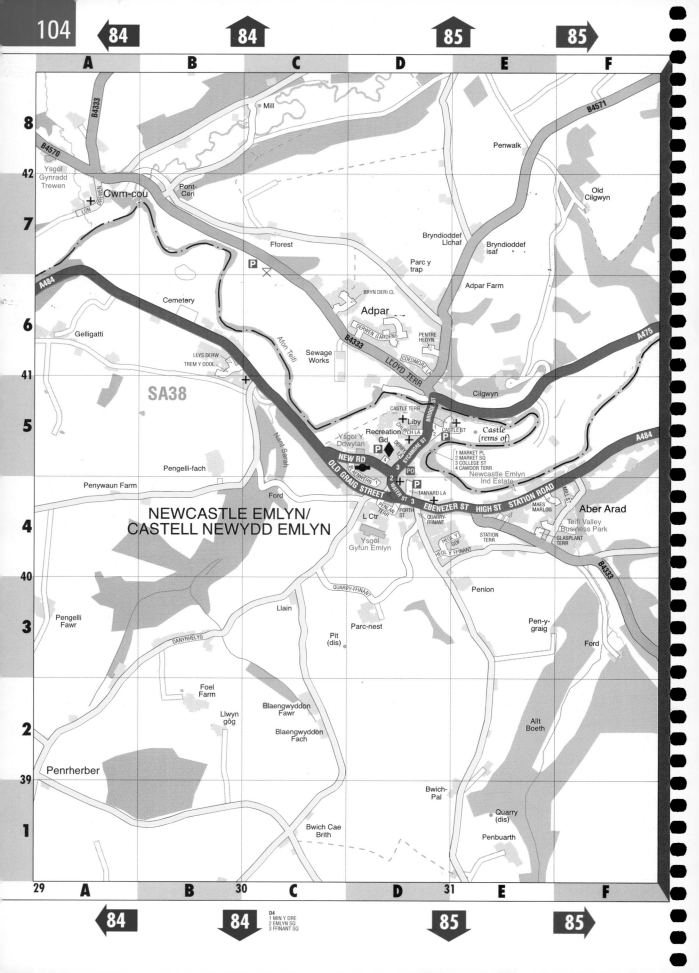

NEWCASTLE EMLYN/
CASTELL NEWYDD EMLYN

SA38

D4
1 MIN Y DRE
2 EMLYN SQ
3 FFINANT SQ

Church Rd **6** Beckenham BR2..........**53** C6

Place name	**Location number**	**Locality, town or village**	**Postcode district**	**Page and grid square**
May be abbreviated on the map	Present when a number indicates the place's position in a crowded area of mapping	Shown when more than one place has the same name	District for the indexed place	Page number and grid reference for the standard mapping

Public and commercial buildings are highlighted in magenta   **Places of interest** are highlighted in blue with a star★

Abbreviations used in the index

Acad	**Academy**	Comm	**Common**	Gd	**Ground**	L	**Leisure**	Prom	**Prom**
App	**Approach**	Cott	**Cottage**	Gdn	**Garden**	La	**Lane**	Rd	**Road**
Arc	**Arcade**	Cres	**Crescent**	Gn	**Green**	Liby	**Library**	Recn	**Recreation**
Ave	**Avenue**	Cswy	**Causeway**	Gr	**Grove**	Mdw	**Meadow**	Ret	**Retail**
Bglw	**Bungalow**	Ct	**Court**	H	**Hall**	Meml	**Memorial**	Sh	**Shopping**
Bldg	**Building**	Ctr	**Centre**	Ho	**House**	Mkt	**Market**	Sq	**Square**
Bsns, Bus	**Business**	Ctry	**Country**	Hospl	**Hospital**	Mus	**Museum**	St	**Street**
Bvd	**Boulevard**	Cty	**County**	HQ	**Headquarters**	Orch	**Orchard**	Sta	**Station**
Cath	**Cathedral**	Dr	**Drive**	Hts	**Heights**	Pal	**Palace**	Terr	**Terrace**
Cir	**Circus**	Dro	**Drove**	Ind	**Industrial**	Par	**Parade**	TH	**Town Hall**
Cl	**Close**	Ed	**Education**	Inst	**Institute**	Pas	**Passage**	Univ	**University**
Cnr	**Corner**	Emb	**Embankment**	Int	**International**	Pk	**Park**	Wk, Wlk	**Walk**
Coll	**College**	Est	**Estate**	Intc	**Interchange**	Pl	**Place**	Wr	**Water**
Com	**Community**	Ex	**Exhibition**	Junc	**Junction**	Prec	**Precinct**	Yd	**Yard**

Translations Welsh – English

Aber	**Estuary, confluence**	Cwrt	**Court**	Maes	**Open area, field, square**	Rhodfa	**Avenue**
Afon	**River**	Dinas	**City**	Môr	**Sea**	Sgwar	**Square**
Amgueddfa	**Museum**	Dôl	**Meadow**	Mynydd	**Mountain**	Stryd	**Street**
Bro	**Area, district**	Eglwys	**Church**	Oriel	**Gallery**	Swyddfa post	**Post office**
Bryn	**Hill**	Felin	**Mill**	Parc	**Park**	Tref, Tre	**Town**
Cae	**Field**	Fferm	**Farm**	Parc busnes	**Business park**	Tŷ	**House**
Caer	**Fort**	Ffordd	**Road, way**	Pen	**Top, end**	Uchaf	**Upper**
Canolfan	**Centre**	Gelli	**Grove**	Pentref	**Village**	Ysbyty	**Hospital**
Capel	**Chapel**	Gerddi	**Gardens**	Plas	**Mansion, place**	Ysgol	**School**
Castell	**Castle**	Heol	**Road**	Pont	**Bridge**	Ystad, stad	**Estate**
Cilgant	**Crescent**	Isaf	**Lower**	Prifysgol	**University**	Ystad ddiwydiannol	**Industrial estate**
Clòs	**Close**	Llan	**Church, parish**	Rhaeadr	**Waterfall**		
Coed	**Wood**	Llyn	**Lake**	Rhes	**Terrace, row**	Ystrad	**Vale**
Coleg	**College**	Lôn	**Lane**	Rhiw	**Hill, incline**		
Cwm	**Valley**						

Translations English – Welsh

Avenue	**Rhodfa**	Estuary	**Aber**	Lower	**Isaf**	Square	**Sgwâr, maes**
Bridge	**Pont**	Farm	**Fferm**	Mansion	**Plas**	Street	**Stryd**
Business Park	**Parc busnes**	Field	**Cae**	Meadow	**Dôl**	Terrace	**Rhes**
Castle	**Castell**	Fort	**Caer**	Mill	**Felin**	Top, end	**Pen**
Centre	**Canolfan**	Gallery	**Oriel**	Mountain	**Mynydd**	Town	**Tref, tre**
Chapel	**Capel**	Gardens	**Gerddi**	Museum	**Amgueddfa**	University	**Prifysgol**
Church	**Eglwys**	Grove	**Gelli**	Parish	**Llan, plwyf, eglwys**	Upper	**Uchaf**
City	**Dinas**	Hill	**Bryn, rhiw**	Park	**Parc**	Vale	**Ystrad, glyn, dyffryn**
Close	**Clòs**	Hospital	**Ysbyty**	Place	**Plas, maes**	Valley	**Cwm**
College	**Coleg**	House	**Tŷ**	Post office	**Swyddfa post**	Village	**Pentref**
Court	**Cwrt**	Industrial estate	**Ystad ddiwydiannol**	River	**Afon**	Waterfall	**Rhaeadr**
Crescent	**Cilgant**			Road	**Heol**	Way	**Ffordd**
District	**Bro**	Lake	**Llyn**	School	**Ysgol**	Wood	**Coed**
Estate	**Ystad, stad**	Lane	**Lôn**	Sea	**Môr**		

ROMAN ROAD - Sain Helen p12 C7   ROMAN KILNS p12 C8

ROMAN FORT p14 F6 (A494)

ROMAN FORT p49 D4 (A44)
      Cas gaer

ROMAN FORT P52 CD 3 (B3340)

ROMAN PRACTICE WORK p80 A4

WATERFALLS.
PISTYLL CAIN p12 D2
RHAEDR MAWDDACH p12 D2
PISTYLL GWYN p.21 E2 (hard to get to?)
ARTHOG WATERFALLS p.24 A5
DOLGOCH FALLS p30 D3 (nearby Parking, Hotel & Talyllyn Railway.

WATERFALL p43 E8
WATERFALL p44 A4
RHEIDOL FALLS p 47 D1
(DEVIL'S PUNCHBOWL (WATERFALL) p53 E7
MYNACH FALLS   p53 E8
GYFARLLWYD FALLS p53 E8
WATERFALL p58 B7
WATERFALL p71 B4
WATERFALLS p81 B1

Addresses

Name and Address	Telephone	Page	Grid reference

Name and Address	Telephone	Page	Grid reference

Addresses

Name and Address	Telephone	Page	Grid reference

NG	NH	NJ	NK	
NM	NN	NO	NP	
NR	NS	NT	NU	
NX	NY	NZ		
SC	SD	SE	TA	
SH	SJ	SK	TF	TG
SM	SN	SO	SP	TL	TM
SR	SS	ST	SU	TQ	TR
SW	SX	SY	SZ	TV

Any feature in this atlas can be given a unique reference to help you find the same feature on other Ordnance Survey maps of the area, or to help someone else locate you if they do not have a Street Atlas.

The grid squares in this atlas match the Ordnance Survey National Grid and are at 500 metre intervals. The small figures at the bottom and sides of every other grid line are the National Grid kilometre values (**00** to **99** km) and are repeated across the country every 100 km (see left).

To give a unique National Grid reference you need to locate where in the country you are. The country is divided into 100 km squares with each square given a unique two-letter reference. Use the administrative map to determine in which 100 km square a particular page of this atlas falls.

The bold letters and numbers between each grid line (**A** to **F**, **1** to **8**) are for use within a specific Street Atlas only, and when used with the page number, are a convenient way of referencing these grid squares.

Example   *The railway bridge over DARLEY GREEN RD in grid square B1*

Step 1: Identify the two-letter reference, in this example the page is in **SP**

Step 2: Identify the 1 km square in which the railway bridge falls. Use the figures in the southwest corner of this square: Eastings **17**, Northings **74**. This gives a unique reference: **SP 17 74**, accurate to 1 km.

Step 3: To give a more precise reference accurate to 100 m you need to estimate how many tenths along and how many tenths up this 1 km square the feature is (to help with this the 1 km square is divided into four 500 m squares). This makes the bridge about **8** tenths along and about **1** tenth up from the southwest corner.

This gives a unique reference: **SP 178 741**, accurate to 100 m.

Eastings (read from left to right along the bottom) come before Northings (read from bottom to top). If you have trouble remembering say to yourself "Along the hall, THEN up the stairs"!

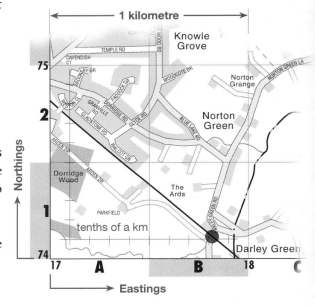

PHILIP'S MAPS

the Gold Standard for serious driving

- ◆ Philip's street atlases cover every county in England and Wales, plus much of Scotland.

- ◆ All our atlases use the same style of mapping, with the same colours and symbols, so you can move with confidence from one atlas to the next

- ◆ Widely used by the emergency services, transport companies and local authorities.

- ◆ Created from the most up-to-date and detailed information available from Ordnance Survey

- ◆ Based on the National Grid

For national mapping, choose **Philip's Navigator Britain** – the most detailed road atlas available of England, Wales and Scotland. Hailed by Auto Express as 'the ultimate road atlas', this is the only one-volume atlas to show every road and lane in Britain.

Currently available street atlases

England
Bedfordshire
Berkshire
Birmingham and West Midlands
Bristol and Bath
Buckinghamshire
Cambridgeshire
Cheshire
Cornwall
Cumbria
Derbyshire
Devon
Dorset
County Durham and Teesside
Essex
North Essex
South Essex
Gloucestershire
North Hampshire
South Hampshire
Herefordshire Monmouthshire
Hertfordshire
Isle of Wight
East Kent
West Kent
Lancashire
Leicestershire and Rutland
Lincolnshire
London
Greater Manchester
Merseyside
Norfolk
Northamptonshire
Nottinghamshire
Oxfordshire
Shropshire
Somerset
Staffordshire

All England and Wales coverage

Suffolk
Surrey
East Sussex
West Sussex
Tyne and Wear Northumberland
Warwickshire
Birmingham and West Midlands
Wiltshire and Swindon
Worcestershire
East Yorkshire Northern Lincolnshire
North Yorkshire
South Yorkshire
West Yorkshire

Wales
Anglesey, Conwy and Gwynedd
Cardiff, Swansea and The Valleys
Carmarthenshire, Pembrokeshire and Swansea
Ceredigion and South Gwynedd
Denbighshire, Flintshire, Wrexham
Herefordshire Monmouthshire
Powys

Scotland
Aberdeenshire
Ayrshire
Edinburgh and East Central Scotland
Fife and Tayside
Glasgow and West Central Scotland
Inverness and Moray

How to order

Philip's maps and atlases are available from bookshops, motorway services and petrol stations. You can order direct from the publisher by phoning **01903 828503** or online at **www.philips-maps.co.uk** For bulk orders only, phone 020 7644 6940